CROIX DE FER, ÉPÉES, DIAMANTS...

Claude RANK

CROIX DE FER,
ÉPÉES, DIAMANTS...

« LE MONDE EN MARCHE »

EDITIONS FLEUVE NOIR
69, boulevard Saint-Marcel - PARIS-XIIIe

1

Ils descendirent en silence les escaliers qui menaient au quai et à la Seine. Alexandra sentait en elle comme un fil d'acier tendu insupportable qui la rattachait à ce maudit cabinet laqué de blanc aux odeurs de chloroforme et d'éther d'où ils étaient sortis quelques instants auparavant. Elle aperçut, de l'autre côté de l'avenue, Marc qui les attendait, accoudé au parapet, se sentit prise de panique.

— Eric, vas-tu le lui dire ?

— Il faudra bien si tu ne t'en charges pas.

Prince s'attarda une seconde sur les gratte-ciel qui s'élevaient de l'autre côté du fleuve : des formes qui montaient et descendaient sans ordre ni souci de l'esthétique, dessinant de brusques dénivellements, de hautes pointes. Il alluma un cigarillo.

— Que veux-tu que nous fassions ?

— Rien, dit-elle. Qu'est-ce que tu crois ? Que je vais jouer la jeune fille séduite, et te traîner à la mairie ? Il n'y a *rien* à faire. Ou plutôt, ce qu'il y a à faire me concerne seule.

— Sandra, je t'interdis de faire des blagues.

— Tu n'as rien à m'interdire ! (Elle s'était tournée et il crut une seconde qu'elle allait le gifler.) Et puis cesse de faire cette tête et de prendre un air coupable.

Marc Toronto traversait, arrivait, les mains dans les poches d'un élégant raglan de demi-saison à la coupe résolument anglaise, et ils se turent. Prince s'étonna de voir Marc se retourner une ou deux fois.

— Bon, alors ?

— Bel et bien enceinte, lança Sandra avec une pointe d'agressivité. Deux mois bien sonnés !

Marc blêmit et considéra sa sœur avec un tel mépris qu'elle recula d'un pas.

— Marc...

Il se désintéressa d'elle, tournant la tête vers Prince.

— Félicitations à l'heureux père... Au futur, plutôt.

— Foutez-moi la paix, voulez-vous.

Prince vit les mâchoires de Marc frémir, la pâleur malsaine qui envahissait tout son visage. Une fois de plus, il se dit qu'il ne réagissait pas seulement comme un frère. Une portière claqua à quelques mètres et le jeune Canadien désigna la Mercédès qui stationnait non loin.

— On parlera de cela plus tard. Pour le moment, deux zèbres à l'air bizarre vous demandent.

— Me demandent... en pleine rue ? (Prince

regardait d'un air méfiant en direction de la Mercédès.) Quelle est cette histoire ?

— Je l'ignore tout autant que vous. Pendant que je faisais l'idiot devant la porte du toubib, ils sont passés une ou deux fois. A la troisième, ils m'ont demandé « si le colonel Prince en avait pour longtemps ». Je les ai envoyés aux pelotes... Mais ils sont toujours là. Bon, Sandra, tu viens ? (Il avait empoigné assez durement sa sœur par un bras et cela ne plut qu'à moitié à Prince.) Eric et toi parlerez de layette un peu plus tard.

— Marc, je vous conseille de mettre en sourdine. Je n'aime ni votre ton, ni votre air.

— Moi, pas tellement que vous esquintiez ma sœur avec... avec ça, renvoya Marc d'une voix frémissante.

Un des occupants sortit de la voiture. Il avait une cinquantaine d'années, un visage creusé aux yeux inexpressifs bleu pâle, délavés, presque glauques. Ce qui restait de ses cheveux avait dû être blond. Prince fut certain qu'il avait déjà vu cet homme, ne parvint pas à le situer.

— Allez chez Dex, je vous y rejoins, dit-il.

Sandra battit des paupières, haussa une épaule, suivit son frère. Ils remontèrent ensemble les escaliers de Passy et Prince traversa. Sur le trottoir, un contractuel s'avançait l'air mauvais, carnet déjà à la main. En même temps que lui, Prince remarqua les plaques vertes du Corps Diplomatique, notant mentalement le numéro.

— Je suis tout à fait désolé de vous interpeller ainsi dans la rue, dit l'homme. Mais c'est... très important, colonel Prince.

— D'où me connaissez-vous ?

— Rappelez-vous vos contacts avec le colonel Dahon à l'ambassade d'Israël au moment de vos ennuis avec les archives Eichmann, à Tel-Aviv. J'appartenais au cabinet de l'ambassade, à cette époque. Plus maintenant.

Prince jeta un coup d'œil en direction de l'autre homme, resté assis. Il le voyait de trois quarts : très élégant, cheveux laqués d'un blanc étincelant, lunettes cerclées d'or, la soixantaine svelte d'un businessman anglo-saxon.

— Je m'appelle Kanazi, dit l'homme. Sammy Kanazi.

Prince s'en souvint. Le colonel Dahon avait présenté Kanazi comme un ancien dur du groupe terroriste *Stern*.

Le contractuel attendait à quelques pas, l'air gêné et l'Israélien ouvrit la portière.

— Montez. Je vous en prie...

Prince jeta son cigarillo au sol, frôla par un vieux réflexe professionnel le 38 qui gonflait sa poche. Il s'installa à l'arrière, claqua lui-même la portière. Kanazi monta au volant et démarra.

— Colonel..., l'homme qui se trouve à mes côtés se nomme Baldur Ingelberg. Il a été Kommander de division SS. Notamment à la *Das Reich*.

— Ah...

Il n'était que moyennement intéressé.

— Ensuite ?

L'homme se retourna. Ses yeux frappaient par leur éclat d'acier. Sous les cheveux d'argent brillant, ils donnaient à la physionomie une chaleur, une lumière qui, en dépit de l'âge de l'Allemand, devaient lui attirer pas mal de succès féminins.

— *Können Sie deutsch sprechen, mein Herr ?*
Prince inclina la tête.

— J'ai un dossier politique, reprit en allemand Ingelberg, se retournant et regardant droit devant lui. Un dossier chargé. J'étais à Toulon en 1942 sous les ordres du *Generaloberst* Dollmann, et l'on m'accuse de certaines choses, conséquences du sabordage de la flotte. Plus tard, à Karkov, j'ai eu à faire face... heu, à de... redoutables partisans soviétiques.

— Je vois, dit Prince impatiemment.

— Je vous demande d'avoir de la patience, colonel, intervint Kanazi. Je vous le demande instamment. Quelques minutes.

— Plus tard, j'ai combattu devant Bordeaux sous les ordres de Lammerding, continua Ingelberg. Puis, Toulouse, Montauban et... Limoges.

— *Limoges*, je sais cela aussi, dit Prince d'un ton plus froid. (Il se pencha.) Kanazi, le colonel Dahon sait-il que vous vous promenez dans Paris avec un membre des ex-*Feldtruppenteile ?*

L'Israélien stoppa à un feu rouge.

— Il le sait. Il sait également que le *Standartenführer* Ingelberg est recherché depuis vingt-cinq ans pour crimes de guerre.

La Mercédès redémarra. Prince jeta un regard sur sa montre, songeant à Sandra, à ce que pouvait raconter Marc.

— Ecoutez, de tout cela, je me fous. Je suis pressé ! Voulez-vous me ramener du côté de Passy, ou bien me laisser à une station de taxis ? Les

histoires nazies, c'est du passé. Et de toute façon,
ça ne m'intéresse pas.

— Attendez un instant. Le colonel Ingelberg
arrive du Paraguay où il est resté plus de vingt
ans. Il se trouvait dans la région de Villarica, à
l'ouest du fleuve Paraña. Colonel ! il s'y trouvait
avec des gens... *mondialement* connus !

Prince croisa son regard fiévreux dans le rétroviseur.

— Kanazi, ce coup-là on me l'a fait bien sou-
vent ! La dernière fois, il n'y a pas si longtemps.

— J'étais dans l'hacienda où demeure Martin
Bormann, *mein Herr*, dit Ingelberg d'une voix
très douce. Bormann, Müller, Oberkämkpter,
Schmidthübert, et bien d'autres.

— Ah oui ? (Prince étreignit furieusement
l'épaule de Kanazi.) Arrêtez-moi ici !

L'Israélien stoppa au bord du trottoir. Sa
figure devenue grisâtre était parcourue d'élance-
ments nerveux.

— Vous avez tort d'être sceptique... Vous
devriez vous en souvenir. Dans le temps, j'ai dirigé
un Commando Noir du *Stern*. Ce que font les gens
du Front Palestinien en ce moment, avions détruits
compris, n'est que jeu d'enfant auprès de ce que
nous faisions, nous.

Prince descendit.

— Où est le rapport ?

— Je ne suis pas un petit garçon, ni un naïf.
J'ai de bonnes raisons de *savoir* que le *SS-Stan-
dartenführer* Ingelberg, ici présent, ne ment pas.

— Bon ! en ce cas, allez trouver votre ami...,
comment s'appelle-t-il déjà ? Oui, Salomon Wie-

sel, et racontez-lui tout cela ! C'est un expert, non ?

— Un... expert ? (Kanazi esquissait une grimace pleine d'amertume.) Qui ça ? Lui ? Où avez-vous pris cela ? Ses prétendues chasses aux nazis ne font plus rire depuis longtemps que les nazis eux-mêmes, outre les Juifs, sans compter bien entendu les agences de presse internationales avec qui il est sous contrat !

Des voitures klaxonnaient derrière eux. Prince s'attarda une seconde encore. Une sonnerie d'alarme venait de se déclencher quelque part en lui. Tout n'était peut-être pas si gratuit...

— Wiesel possède pourtant une organisation spécialisée ?

— Ne me faites pas rigoler. Il est en contact en réalité avec tout un tas d'informateurs qui la plupart du temps lui vendent du vent. Tout le monde se marre hormis lui : il n'a aucun sens de l'humour. Surtout, s'il n'a pas la matière pour sortir un autre bouquin à succès et gagner quelques centaines de milliers de dollars sur le dos des pauvres types qui font véritablement le boulot. A part cela : inefficace. Tout à fait.

— Je crois que c'est pour cela que M. Kanazi n'a pas voulu prévenir M. Wiesel, dit Ingelberg.

Des voitures les doublaient, klaxonnant furieusement. Prince hésita une seconde encore.

— Avertissez votre ambassade... ou je ne sais pas ! Les Américains. Racontez-leur votre petite histoire, vous...

— Vous n'êtes pas dans le coup, colonel

Prince, dit Kanazi. Pas dans le coup du tout. Notre ambassade, comme vous dites, vit dans la terreur que des gens comme le Standartenführer apportent justement ce genre d'informations. Quant aux Américains, ou même aux Allemands ? (Il grimaçait soudain avec haine réelle.) Qu'est-ce que vous croyez, hein ? Que croyez-vous ?

— Je ne crois rien, je n'ai pas d'idées, je suis pressé, égrena Prince. Et j'ai des histoires personnelles urgentes à régler... Bon. (Il hésita un instant, se pencha.) Je peux vous joindre au cabinet militaire ?

— Je ne suis *plus* au cabinet militaire.

— Alors...

— Je vous appellerai d'ici à un ou deux jours, lança Kanazi avant de redémarrer. Réfléchissez. Et faites très attention : vous êtes en train de refuser le plus fantastique *top-shock* qu'un service secret ait jamais eu à se mettre sous la dent depuis la fin de la guerre !

2

Dex était au téléphone lorsque Prince entra, accueilli par la nouvelle petite bonne espagnole. Il s'étonna un instant de l'extra-minirobe de la fille, la questionna, parvint non sans mal à comprendre que Marc et sa sœur étaient là. Anne Marston surgit du fond du couloir. Son visage était grave.

— Eric, Sandra est dans la salle de bains. Marc lui a fait une scène terrible. Il est... drôle, non ?

— Assez drôle.

— Allez la retrouver. Elle a besoin de vous.

— Et lui, où est-il ?

Elle leva la tête vers le plafond.

— Sur la terrasse en compagnie de Michel et de Mac.

Des rires parvenaient du haut, et l'épouse de Dex fit voleter ses boucles châtaines avec insouciance.

— Bah, ça passera... Ecoutez-le.

Prince se dirigea vers la salle de bains, mâchoires durcies. Il était décidé à précipiter un peu les choses pour que « ça passe plus vite ». Marc, quelquefois, allait trop loin. La porte de la salle de bains était fermée à clef et il dut tambouriner, parlementer pour que Sandra consentît à ouvrir. Elle était échevelée, blafarde, sa jupe à demi relevée. Elle recula pas à pas lorsqu'elle le vit baisser la tête en direction du bidet à demi rempli d'un liquide trouble à l'odeur pharmaceutique. Près de celui-ci, sur le sol, se trouvait un emballage suisse long et mince qu'il reconnut.

— Qu'est-ce que tu fabriquais ?

— En quoi cela te regarde-t-il ?

Il arriva posément, la gifla par deux fois. Elle alla percuter le mur et il la retint par un bras.

— Sandra, fais attention ! Très attention. Une imprudence de trop...

— Tu ne sais pas ce que m'a dit Marc ! lâcha-t-elle, remontant d'une main ses cheveux qui couvraient son visage en sueur. Il a été... abominable !

— Ton frère m'emmerde. Beaucoup. Et toi...

— Moi ? (Elle le fixait avec horreur, à travers une mèche collée.) Achève.

— Demande-lui de rentrer au Canada, fit-il, changeant de ton. Demande-le-lui calmement. Et ajoute que s'il ne comprend pas je le lui demanderai moi-même. Moins calmement.

Il se baissa, récupéra la boîte et son contenu, et ressortit. La porte refermée, il entendit Alexandra se remettre à sangloter. Il était occupé devant le vide-ordures automatique de la cuisine lorsque

Dex fit son apparition. Une seconde Dex parut
intéressé par la longue tige translucide que Prince
brisait, mais ne posa aucune question.

— Qu'est-ce que c'est que ces mecs que tu as
rencontrés ?

— Est-ce Marc qui t'a raconté ça ?

Dex inclina la tête. Prince achevait de déchi-
rer l'emballage suisse en tous petits fragments,
l'air soucieux et lointain. Sandra s'en procurerait
un autre, c'était couru...

— Les « mecs » ? parut-il se souvenir. Des cinglés ! L'histoire archi-classique : Bormann ou son
fantôme, Mengele et consorts. Conneries, élucu-
brations.

— Tu sais *qui* appelait quand tu es arrivé ?

Ils ressortirent de la cuisine. Dans le living,
Anne Marston invectivait la petite bonne au sujet
d'une obscure histoire de chopes à whisky de cristal disparues.

— Qui appelait ?

— Dahon, de l'ambassade d'Israël.

Une ride se creusa sur le front de Prince.

— Si vite ?

— Ce n'est pas lui qui voulait te parler, fit Dex.
Mais l'ambassadeur soi-même.

Prince poussa un long sifflement. Dex alla chercher un verre plein, le lui tendit :

— Comme tu dis. Et si c'est « si vite », ça
peut signifier que les « cinglés » dont tu parles le
sont peut-être un peu moins qu'il ne paraît.

Un groupe agité dévalait les escaliers venant
de la terrasse. Mac riait bruyamment et Lorrain

semblait tout aussi hilare. Seul Marc arborait un visage figé.

— Eric ! lâcha Mac entre deux gloussements, tu connais l'histoire de l'ivrogne qui va trouver un flic sur les Champs-Elysées un trousseau à la main en lui disant que cinq minutes auparavant il tenait sa bagnole au bout de ces clefs-là, qu'elle n'y est plus, et qu'on la lui a volée ? Le flic se marre, mais il a le soûlot à la bonne, et avant de l'emmener au commissariat, il lui conseille au moins de fermer sa braguette. Mince ! s'exclama alors le type, on m'a également fauché ma petite amie ! C'est marrant, non ?

— Marrant, dit lugubrement Prince, observant Marc. C'est vous qui leur avez raconté ça ?

— Non, pas mon genre, dit le Canadien d'un ton hostile. Comment va Sandra ?

— Elle aurait pu aller plus mal. Surtout dans l'état de nervosité où elle se trouvait quand...

— Achevez ? Quand « quoi » ?

— Mettez une sourdine Marc, conseilla Dex derrière eux d'une voix inhabituelle.

Le téléphone sonna au même instant. Prince se trouvait le plus près de l'appareil du living, et décrocha.

— Ambassade d'Israël, prononça une voix pointue de femme. Le colonel Dahon demande à parler au colonel Prince.

— Passez-le-moi.

— Vous êtes...

— Je suis.

La voix rocailleuse de l'adjoint de l'attaché militaire fit vibrer l'écouteur.

— Prince ? Que diable ont été inventer les deux individus avec lesquels vous avez été en contact ?

— Pas si vite, Dahon... Et je n'aime pas votre ton. En quoi cela vous concerne-t-il ?

Prince eut conscience du silence tendu qui s'était fait dans le living. Il vit apparaître Sandra, très pâle, aux bras d'Anne Marston.

— Une seconde, fit-il, je vous reprends sur un autre appareil.

Il appuya sur un bouton, raccrocha et quitta la pièce, entrant dans le bureau de Dex, refermant derrière lui, décrochant un autre combiné.

— Dahon ? Excusez-moi, je n'étais pas seul. Quelle est cette histoire ?

— Prince, au nom de notre vieille amitié, laissez tomber...

— Bon Dieu ! laisser tomber *quoi* ?

— Ne vous foutez pas de moi. Vous êtes sûrement en cheville avec Ingelberg et nous ne l'admettrons pas !

— Comment dites-vous ? En... « cheville » ?

Dex entrait silencieusement, l'air intrigué, sourcils froncés. Prince lui tendit un écouteur.

— ... il nous sera difficile d'accepter l'immixtion d'un quelconque service dans une affaire qui concerne Israël, continuait Dahon d'une voix où vibrait une nette menace. Alors, soyez prudent, colonel. Prudent et raisonnable.

Dex rivait un regard stupéfait sur Prince qui prononçait :

— Dahon, vous avez fini ? Si je ne vous connaissais pas aussi bien, je croirais que vous

avez fait des excès au L.S.D. ? Je n'ai pas compris
un traître mot. Et répétez un peu pour voir.
« En cheville ? »

— Ecoutez, nous sommes au courant, explosa à
mi-voix Dahon, à l'autre bout du fil. Marston et
vous essayez de nous avoir. Nous ne nous laisse-
rons pas faire !

Prince jeta un regard à sa montre, puis sur Dex
qui acquiesça d'un mouvement de tête.

— Dahon ? Toujours rien compris. Mais cette
fois, nous voulons comprendre. Dans dix minutes
dans votre bureau, ça va ?

Dex dessinait rapidement deux éclairs runiques
sur une feuille de bloc, les sommant d'un point
d'interrogation. Prince vit le sigle SS, les mots que
traçait Dex « *A vérifier* », rectifia.

— Disons un quart d'heure, Dahon. Ça va ?
— Je vous attends.

Il raccrocha, regardant du coin de l'œil Dex
farfouiller dans un classeur, et en tirer une fiche.
Il la tendit et Prince composa le numéro souligné
de l'index. Une voix endormie lui répondit.

— Archives SS, 1945, demanda-t-il. Je crois
que c'est le palier 7.
— Micros ?
— Micros avec un lecteur. Dites que le colonel Prince est au bout du fil et que c'est urgent.

Quelques grésillements, puis une autre voix
s'interféra.

— Cassan à l'appareil, c'est bien vous, colo-
nel ?
— C'est moi, Cassan. Ecoutez-moi bien.
— Je branche.

Prince perçut le bourdonnement du magnéto mis en marche.

— Baldur Ingelberg, articula-t-il, India, November, Golf, Echo, Lima et le reste comme montagne. Détails présumés : Standarten, à la première *Verfügungsdivision*, alias 2ᵉ blindée *Das Reich*.

— Le temps de le mettre en carte, dit la voix de l'opérateur du centre d'archives. Comptez une minute ou deux. Vous attendez ?

— J'attends.

Prince plaqua le combiné contre son veston. Du living, parvenaient des éclats de voix. Il posa l'appareil sur la table, traversa le bureau et ouvrit. Alexandra DeSambres/Toronto sanglotait dans un fauteuil, consolée par Anne Marston.

— Marc l'a giflée, puis il est sorti comme un fou, expliqua-t-elle.

— Ils ne m'auront pas comme ça ! dit Alexa à travers ses larmes. Et..., et ils me battent tous ! Ils me... (Elle étreignait le bras de l'épouse de Dex.) Anne ! après tout, c'est moi que ça regarde. Seule !

Prince s'approcha, lui frôla les cheveux en forme d'apaisement. Elle leva la tête, voulut parler, mais Prince entendit la voix de Dex dans le bureau, repartit.

— Une seconde, excusez-moi.

Dex inscrivait rapidement quelque chose sur une feuille. Prince se pencha, lut les premiers mots, et prit l'écouteur.

— ... responsable, après le sabordage de la Flotte, de l'arrestation secrète de plusieurs officiers, dont un contre-amiral, qui ont disparu. Tortures prouvées, à Marseille. Mais ce n'est rien à côté de Karkov et Tcherkassy... Des Juifs ukrainiens réfugiés, massacrés par milliers au lance-flammes. En 44, responsabilité non prouvée pour Oradour, mais on le...

Prince reprit doucement le combiné des mains de Dex.

— Cassan, c'est suffisant pour le moment. Faites-moi faire des contretypes d'urgence.

— Promis, colonel. Oh ! transmettez mon bon souvenir à votre maman, et à Diane.

— Promis.

Ils sortirent par la porte du bureau pour éviter le living, se retrouvèrent au sous-sol. Dix minutes plus tard, ils roulaient avenue de Wagram, stoppaient devant l'ambassade, indifférents aux agressives grimaces à la de Funès d'un contractuel poussif qui surgissait. Au moment d'entrer, Dex serra le bras de Prince qui tourna la tête : une Mercédès arrivait à vitesse lente. Kanazi était seul dans l'auto, les avait sans doute suivis.

Prince fit demi-tour, la figure pâle et tendue.

— Kanazi, ne vous amusez pas à ce petit jeu-là avec moi ! J'ai des réflexes rapides et peu de patience.

— Calme, colonel, renvoya l'ex-terroriste d'une voix où perçait beaucoup de menace. Vous allez en avoir besoin pour essayer de ne pas vous faire posséder ! Car on va vous posséder ! Dahon en a bavé quatre ans à Auschwitz, et pourtant si vous l'écoutez cinq minutes sans l'interrompre, il va vous prouver que le nazisme n'a jamais existé, pas plus que les criminels de guerre, et que Bormann est une invention de la propagande soviétique ! C'est pas marrant, ça ?

— Kanazi, vous commencez à...

— Je sais. Vous l'avez déjà dit. Et j'ajoute ceci : j'ai été ignoblement viré par les miens parce que je ne veux pas m'associer à ce scandale. Un *énorme* scandale, je vous en réponds. Un scandale à l'échelle de la planète, et qui rejaillit en millions de gouttes de sang sur tous ceux qui ont souffert, parmi les nôtres.

Il pointa un doigt accusateur.

— Le temps de la vengeance est loin, colonel de France ! Estompé avec l'époque des faux hurlements indignés et le procès Eichmann. Aujourd'hui, seuls la grande politique internationale et le souci de ne pas froisser le grand frère juif new-yorkais comptent.

» Ne vous faites pas posséder ! répéta-t-il, démarrant dans un grand hurlement furieux du moteur. Foncez ! C'est un *top-shock* de première. N'écoutez personne !

3

Le colonel Dahon était un homme impression-
nant, grand, large, athlétique avec un crâne rasé
de frais à la Brinner et un teint rose de major
anglais de l'armée des Indes. Il leur désigna un
siège de ses mains épaisses et poilues. Prince ignora
le geste, repoussa des dossiers se trouvant sur le
bureau, s'assit en équilibre instable sur l'angle de
celui-ci.

— Dahon, vous m'intriguez... Vous m'intriguez, et toute cette histoire au téléphone sent...
comment dire, la provocation à plein nez.

— Expliquez-vous et retirez votre derrière de
mon bureau, s'énerva l'Israélien. Je vous ai mis
en garde, c'est tout.

— Vous nous avez mis en garde comme quelqu'un qui veut à toute force qu'on s'intéresse à
Ingelberg, fit Dex, faisant tournoyer son chapeau
au bout de son poing. Vous nous « avez mis en
garde » très exactement comme si vous aviez voulu
dire « attention, c'est important ».

— Assez de bêtises, s'emporta Dahon. Des agents à nous savent depuis plusieurs jours qu'un de nos transfuges traîne derrière lui un Allemand plus que suspect qui arrive du Paraguay après avoir eu de sales histoires avec ses propres compatriotes. Or, vous le savez...

— Vu, dit Prince. Si Eichmann n'avait eu lui aussi de « sales histoires » avec ses compatriotes, il n'aurait pas été obligé d'aller travailler en usine et il serait probablement toujours en vie à l'heure qu'il est.

— Exact. Un nazi qui sort du « groupe » est un nazi mort ou condamné à brève échéance.

Dahon gratta son crâne bosselé en sueur. Il alla vers une cloison, dévoila une carte en tirant une tenture, traça du doigt un rond qui englobait le Paraguay, le nord de l'Argentine, une petite portion du Brésil.

— Là, le *Cercle de Fer,* où se trouvent des milliers de nazis, repentis ou pas. Ecoles, lycées, garages, usines, haciendas, fazendas, etc., tout est allemand !

— Continuez. Ça ne nous explique pas la position de Kanazi, celle d'Ingelberg et la vôtre.

La main de Dahon frappa furieusement la carte et il ouvrit la bouche comme s'il allait parler ; ou hurler. Brusquement, il repoussa la tenture.

— Laissez tomber Ingelberg et cet autre salaud qu'est Kanazi. Vous perdez votre temps.

— Ah oui ?

— Vous agissez exactement comme si, au contraire, vous vouliez à tout prix nous intéresser, dit Prince, se redressant. C'est une étonnante attitude.

— Vous risquez votre peau, prévint **Dahon** changeant de ton. Faites très attention.

— Ah oui ? répéta Dex.

— Donnez vos raisons, dit Prince.

— Eh bien... (Dahon réfléchissait ; **son crâne** à la Brinner luisait de transpiration.) Disons que nos agents sont d'assez grands garçons. Et n'ont besoin de personne. Surtout pas qu'on leur mette des bâtons dans les roues par d'intempestives initiatives.

— Bien sûr, dit Prince, feignant beaucoup de compréhension. Mais dites-moi, cher Dahon, pourquoi craigniez-vous tout à l'heure au téléphone que nous soyons déjà « en cheville » avec Ingelberg et Kanazi ?

Le poing de Dahon s'abattit avec fureur cette fois sur la table. Il sentait qu'il perdait pied, l'admettait mal.

— Ecoutez... **Oh, et puis à quoi bon !** Vous n'en ferez qu'à votre tête. Mais je vous aurai prévenus : des escrocs, voilà ce que sont en réalité cet Allemand et Kanazi. D'ailleurs, nous nous méfions depuis longtemps de Kanazi ; les anciens du *Stern* sont presque tous à demi fous de gloriole, d'orgueil, de rage. Entre autres parce qu'ils n'ont plus aucun rôle dans la politique israélienne. Vous avez vu les bandits du prétendu Front Palestinien ? Des...

— Je doute que les anciens leaders du *Stern* seraient heureux de se voir comparés aux gens d'Arafat, dit Prince avec reproche. Merci **malgré** tout pour tous ces conseils, Dahon. Nous allons aviser.

— Aviser, hein ? *Attention...*

Sa voix avait encore changé, devenant vindicative, sèche, froide.

— Prince, et vous aussi, Marston. Nous avons combattu ensemble à une ou deux reprises. Au moment de l'affaire des archives Eichmann, je vous ai sauvé la mise. Cette fois, si vous jouez les gros bras vous me trouverez de l'autre côté de la barricade et je serai sans pitié.

Prince sourit, déjà près de la porte.

— Un homme averti...

Le sourire disparut après qu'il eut échangé un regard avec Dex.

— Dahon, une dernière précision : nous n'avons encore rien compris à votre attitude. Sinon qu'elle est très équivoque, suspecte.

— *Maladroite*, fit Dex.

Le regard de l'Israélien était rivé sur eux, glacé. Ils furent sûrs que, dans d'autres circonstances, ce regard-là aurait été accompagné d'une rafale de mitraillette.

— Content de vous avoir revu, Dahon. Transmettez nos bons vœux de réussite à la bonne Mme Meier. Son double jeu auprès de Nixon est une merveille du genre.

Ils refermèrent avec la plus grande prudence.

Dans l'avenue de Wagram, ils ne furent qu'à demi surpris de revoir la Mercédès. Prince eut une seconde l'envie d'aller dire deux mots à l'ex-*Stern*, y renonça, se fit une raison. De toute façon, Kanazi était assez vieux dans le métier pour deviner quelle serait leur prochaine étape. Essayer de le semer était sans doute inutile.

Ils se résignèrent à le traîner derrière eux jusqu'à l'ambassade américaine de l'avenue Gabriel. Prince mettait son clignotant, se préparant à pénétrer dans la Maison Blanche parisienne, quand Dex frôla son bras. Une DS, surgie de la contre-allée, venait de coincer la Mercédès de l'Israélien contre le trottoir. Ils allaient bondir lorsqu'une seconde DS noire surgit à toute vitesse, les coinçant à leur tour. Un homme à l'air ennuyé bondissait hors de la voiture.

— Mon colonel, je vous en prie...

Ils reconnurent Mariette, ex-Belge devenu l'un des patrons des SS de la Présidence de la République et bras droit occulte de Heymann.

— Qu'est-ce que ça veut dire ?

Prince émergea de la Lancia, incrédule. Kanazi, après avoir montré ses papiers, repartit, apparemment libre. Le *Marines* de garde devant l'ambassade observait tout le monde avec une nette suspicion.

— Ça veut dire que le patron veut vous voir d'urgence.

— C'est votre patron *à vous*, Mariette, dit Prince furieusement. Pas le nôtre. Allez lui dire...

— Je vous en prie, mon colonel, insista Mariette, visiblement à la torture. On nous regarde, de chez les Américains. Venez.

— Heymann ne pouvait pas nous prévenir par téléphone ?

— Il a essayé mais vous aviez déjà quitté l'avenue Paul-Doumer.

Des fenêtres de l'ambassade U.S., on les examinait en effet avec méfiance. Prince remonta dans son coupé.

— Faubourg ?

— Merci, dit Mariette, soulagé.

Ils n'eurent que quelques centaines de mètres à effectuer pour pénétrer dans la cour de l'Elysée, une DS leur ouvrant la route, la seconde suivant en couverture.

— Que signifie tout ce cirque ? grommela Prince. Ils sont dingues !

Heymann les attendait dans son bureau des combles, tirant nerveusement sur une pipe turque en écume représentant un sultan barbu.

— Ah ! vous voilà... Eh bien ! on vous a évité une blague de première ! Sans nous...

— Une petite minute, coupa Prince. Blague ou pas, ça ne concerne que nous, et nous étions en « privé » avenue Gabriel. On n'aime pas ça, Heymann. Se faire ramener entre deux bagnoles comme des casseurs arrêtés, ou l'un de tes anciens clients F.L.N. que tu passais à la casserole, on...

— Ça va, vous l'avez dit ! maugréa Heymann. (Il jeta un regard furibond sur Mariette qui attendait, l'air incertain, sur le seuil.) Foutez-moi le camp, vous ! Comment avez-vous manœuvré une fois de plus ? A votre manière ?

Mariette s'éclipsa, plus pâle, n'attendant pas la suite. Dex alluma une cigarette, fumant nerveusement. En bas, dans la grande cour d'honneur, un cortège arrivait. Il crut reconnaître Pompidou qui s'avançait, main tendue, s'en désintéressant, tant les éclats de la discussion entre

Prince et son ex-camarade de promotion étaient violents.

— ... vous débarquez, ma parole, tous les deux ! éclatait Heymann. On vient vous raconter n'importe quelle absurdité sur n'importe quoi et vous foncez !

— Si c'est une absurdité, je trouve qu'elle indispose et remue pas mal de monde, coupa Prince. Alors, explique-toi !

Heymann se laissa tomber dans un grand fauteuil Louis XVI des Domaines, les bras au ciel.

— Expliquer... expliquer ! Vous n'êtes pas du tout dans la course. (Il se calma, bourra la tête du sultan d'un pouce tremblant, ralluma sa pipe.) Alors, je vais vous mettre les points sur les i ! (Il les observait de son œil gris à travers la fumée.) Parce que vous croyez qu'on vous a attendus ? Parce que vous vous imaginez qu'on recherche toujours *vraiment* des salauds de la trempe de Bormann, Mengele, Muller et consorts ? Vingt-cinq années de « recherches » pour aucun résultat ? Dix mille criminels de guerre recherchés, et combien d'arrêtés depuis dix ans ? Une poignée ! Dont à peine un ou deux valables : Eichmann, Stangl. Cette... disproportion ne vous a-t-elle jamais frappés ?

— Vous voulez dire... qu'on ne recherche *plus* les principaux ?

Heymann émit une sorte de meuglement, s'étouffa avec la fumée.

— Vous me faites... rigoler ! (Il essuya ses yeux larmoyants d'un mouvement rageur du dos de la main.) On ne les recherche plus pour la bonne raison qu'il y a belle lurette que les services du monde entier savent où les trouver ! (Il secouait un doigt nerveux.) Mais il n'y a pas de « cas échéant ». Il n'y a pas plus de « cas échéant » qu'il y en avait quand Truman, puis Eisenhower, ensuite Kennedy ont manipulé l'Organisation Gehlen allemande avant de se faire manipuler par elle. Or, les gens de Gehlen, qui l'ignore ? étaient formés à quatre-vingts pour cent de nazis, criminels de guerre ou pas ! Et cela a changé quoi ? La chose a-t-elle empêché l'Organisation Gehlen de devenir le plus puissant allié de Washington contre l'U.R.S.S. ?

Prince échangea un long regard avec Dex.

— Dites, Heymann, fit-il, appuyant des deux mains sur le bureau, ça devient intéressant tout ça... Continuez.

— Que voulez-vous que je dise d'autre ? Qu'il existe quelque part à Dortmund une véritable société plus ou moins anonyme chargée des dialogues, à peine secrets, avec Bormann ? Une société qui le représente quasi officiellement ! Ça vous en bouche un coin, hein ? (Il se leva, s'échauffant, marchant de long en large.) Oh ! je sais bien. Officiellement, tous les services criminels du monde le recherchent et les magazines bien-pensants américains consacrent périodiquement des articles au « plus grand assassin de tous les temps », etc, etc. Mais tout le monde, je parle des gens au courant, tant à la Maison Blanche qu'au War Office, à l'Auswärtigeramt de Bonn, ou même à Tel-Aviv, la boucle !

Prince secouait la tête, incrédule.

— Ecoutez... C'est une blague ?

— Une blague ? Je voudrais bien. (La figure d'Heymann était plissée d'amertume.) Tout de même, enfoncez-vous bien ça dans le crâne, comme dans la publicité Krutchen : Bormann et son équipe représentent depuis dix ans une force politique colossale. Du Paraguay, ils rayonnent dans toute l'Amérique du Sud, ils brassent des affaires par milliards de dollars et au Dowes Jones on serait bien surpris d'apprendre que certaines actions sont en réalité des actions Bormann, camouflées.

La sonnerie du téléphone retentit. Heymann ne s'excusa pas, décrocha, grogna : « Il m'emmerde, je le verrai tout à l'heure », raccrocha. Il se rassit, soudain accablé.

— C'est drôle à dire, mais il n'y a encore que Castro dans toute la planète qui tienne vraiment à épingler Bormann. Avec Mao, il voudrait bien clouer les Américains au pilori, et prouver à la face du monde que c'est à plus d'un titre qu'en réalité les Allemands ont *gagné* la Seconde Guerre mondiale.

— Dans une minute, vous allez nous dire que le mark a grimpé grâce à Bormann, non ? dit Prince.

Heymann haussa lourdement les épaules, détourna les yeux. Il semblait regretter d'en avoir trop dit.

— Allez, laisser tomber. Vous sauverez votre peau, et vous m'éviterez en plus d'avoir de sales ennuis.

— Car... vous auriez de « sales ennuis » si on

écoutait un ex-petit agent du *Stern* qui a de bonnes informations ?

— Elles sont pourries, ses informations ! se fâcha Heymann, se dressant comme une lame de ressort, la figure soudain décomposée. Pourries, gangrénées, un vrai choléra d'informations ! Toucher à *ça*, c'est un peu comme toucher jadis au tombeau de Tout Ankh Amon, ça porte la...

— Capitaine, tu deviens stupide, coupa tout doucement Prince.

— Dites-moi, Heymann, intervint Dex, à supposer que pour des motifs politiques...

Heymann lui coupa la parole avec véhémence.

— Entre autres motifs « politiques » savez-vous que la formidable implantation nazie du *Cercle de Fer*, politique, industrielle, financière, représente en Amérique du Sud la plus sûre alliée de Washington, en même temps qu'un rempart efficace, face à la grande marée révolutionnaire. Comment croyez-vous que les Maréchaux aient pu arriver au Pouvoir et s'y maintenir au Brésil ! Gehlen et consorts, c'était l'ami anti-rouge, Bormann et sa smala SS, le plus sûr bouclier contre le castrisme !

— Essayez de ne pas m'interrompre, s'énerva Dex. Selon vous, le monde entier, y compris la Russie soviétique, ferme les yeux ? Selon vous, ce monde-là sait très bien à quoi s'en tenir, mais donne la prépondérance à la haute politique.

— Que sont six millions de *vieux* morts, mêmes Juifs, en contrepartie, par exemple, de l'enjeu colossal, de cette partie d'échec à l'échelle planétaire qui se joue au Moyen-Orient ? dit Heymann, le regard scintillant, ses mains étreignant nerveusement le rebord du bureau. Tel-Aviv et Bonn sont devenus réalistes ensemble, et tous deux réalistes aux côtés de Washington ! Le passé est le passé, et tous savent qu'aucun pas de clerc ne ferait revenir un seul des millions de Juifs gazés à Auschwitz ou ailleurs.

Prince poussa un long sifflement. Joli article pour un magazine international indépendant. Si tant est qu'il en existât un seul.

— Je termine, fit Dex. Je termine difficilement mais je termine. Un homme pourtant pourrait être intéressé ? Wiesel ? Salomon Wiesel.

Heymann renifla.

— Remueurs de vents, assoiffés de publicité, crachoteurs maladroits, efficacité zéro, égrena-t-il. Connais pas, et veux pas connaître ce genre de personnages.

Il était plus calme, alla jusqu'à la fenêtre, s'intéressant à ce qui se passait dans la cour d'honneur.

— J'espère en tout cas que cette fois vous avez compris.

Prince tendait son étui d'Hava Tampa à Dex. Celui-ci se servit.

— Nous avons compris, Heymann. Très bien.

— Si bien que l'histoire nous intéresse, compléta doucement Prince. Au point que nous allons sans doute nous en occuper.

— QUOI ?

Heymann s'était retourné d'une pièce.

— Ecoutez-moi, fit-il, même s'il me faut vous faire flanquer à la prison de la Santé pour vous empêcher de faire des blagues, je... je trouverai un moyen ! Il y a certainement un ou deux détails croustillants dans vos trois ou quatre dernières missions qui peuvent servir.

Prince alla vers la porte. Dex suivit, faisant tournoyer son feutre au bout de son poing fermé.

— Heymann, Don Quichotte et Sancho Pança, vous connaissez ?

— Vous allez vous faire descendre en flèche, prédit lugubrement Heymann. Moi, je vous le dis ! Vous allez vous faire démolir. Cette fois, la Force M n'est pas de taille. Le monde entier sera contre elle.

4

La Lancia roulait doucement dans la nuit tombante le long d'une allée de banlieue bordée de villas luxueuses, et Prince surveillait du coin de l'œil Alexandra qui se mouchait, reniflait, hochait la tête toute seule, paraissant en vouloir au monde entier.

— Nous arrivons, dit-il. Si ma mère te voit avec cette tête, elle va se poser des questions.

Elle abaissa le miroir du pare-soleil, rectifiant son maquillage, essuyant son fard à cils, repassant la petite brosse avec dextérité. Si lentement qu'ils aient roulé, ils étaient malgré tout arrivés devant la grille, et Prince stoppa. Trois colleys feu et blanc se précipitèrent, aboyant de joie.

— Soleil... Satellite, heup !

Au troisième bond désordonné, l'un des colleys parvint à occulter la cellule photo-électrique qui manœuvrait la grille ; celle-ci s'ouvrit sans bruit.

— Et voilà le travail ! dit Prince. Sandra...
souris.

— Je souris, chuchota-t-elle nerveusement.
Regarde comme je... souris.

— Marie-Antoinette sous la lunette, félicita-t-il.

— Ne bouge pas, Ric ! lança une voix joyeuse,
je ferme !

Diane arrivait, un pantalon étroit collant à ses
hanches minces, racées. Prince comprenait mal
pourquoi sa sœur s'obstinait à rester vieille fille
avec un corps pareil et cette allure.

— Ça va, ma choute ?

Diane avait empoigné Alexandra, sitôt sa descente du coupé, l'embrassait, la faisant pirouetter.

— Dites ! on m'avait dit que vous aviez terriblement souffert, à São Luis ? Guérilleros, enfer-
més dans un cloître, je ne sais plus trop quoi !
Ça ne paraît pas ! Vous avez plutôt tendance à gros-
sir et ça vous va bien. Quelle jolie poitrine, je...

Le coup d'œil meurtrier que lui lançait son
frère souffla le sourire.

— Je... ah, bon, bien. Venez, mes chéris.

Elle fit demi-tour, le visage empourpré.

— C'est léger comme une bombarde, grommela Alexandra. Ah, ton regard... Si après ça elle
ne comprend pas !

La vieille Mme Prince les accueillit dans le
hall, les embrassant à n'en plus finir.

— Petite Sandra... Ma chérie ! Alors ainsi
vous avez failli être arrêtée le long d'une voie de
chemin de fer brésilien... Ce train-prison ! Dieu,
quelle horreur.

— Ce n'est pas elle qui a failli être arrêtée,

dit Prince nerveusement. Je te l'avais écrit. Une petite guérillero... Elle a du reste été réellement arrêtée.

— Eric l'aimait beaucoup, dit Alexandra du bout des lèvres. Il m'a même avoué qu'il lui était arrivé de partager son sac de couchage.

Mme Prince ouvrit de grands yeux effarés. Diane entraîna son frère dans la cuisine.

— Tu es tout à fait dingue de lui faire de pareils aveux. La loyauté, à ce point, c'est de l'inconscience. (Ses yeux brillaient.) C'est vrai, elle était si bien que ça cette petite sauvageonne ? Comment déjà... Maria-Bleue, Maria-Azul ? C'est...

— Fiche-moi la paix, veux-tu, fit-il, cueillant une olive dans une soucoupe, et la croquant d'un air sombre. Je n'aime pas en parler. Je pense qu'elle doit être morte. Nous avions été obligés de l'abandonner.

— Raison de plus, c'est idiot d'avoir donné autant de... détails.

Il haussa les épaules, repartit vers le living. Alexandra était tassée dans un fauteuil, la tête entre ses mains et il comprit avec irritation qu'elle avait déjà tout raconté. Sa mère arriva, les mains jointes, transfigurée.

— Dieu du Ciel, Eric... Elle va me donner un petit-fils ? Il faut vous marier, mes enfants, et le plus tôt sera le mieux.

— Je... je crois qu'il repart en Amérique du Sud, hoqueta Sandra.

— Eric, tu es fou, fit Diane, réapparaissant.

Pas au Brésil au moins ? Si tu y retournes, c'est l'arrestation sûre.

— Qui parle de ça ? Dex et Lorrain travailleront d'ailleurs d'un côté du Paraña, et moi de l'autre, Paraguay et Argentine. De toute façon... (Le téléphone sonnait, insistant.)... nous n'en sommes pas encore là, personne n'a pris de décision.

Il décrocha, reconnut la voix de Lorrain.

— Eric ? J'ai Dex en H.F., il appelle du poste de sa voiture. Il ne veut pas doubler sur Louveciennes. Je te le passe.

Lorrain dut manœuvrer son jeu de jacks, répercutant par téléphone la communication-radio.

— Ric ? Bon, je t'ai trois sur cinq. Ça sent mauvais pour le Standarten. J'ai pu avoir Hopkins, à l'ambassade : Heymann avait vu juste. Tout le monde veut sa peau. Et quand je dis « tout le monde »...

Prince avait saisi. Nazis du *Cercle de Fer* sans doute compris.

— Rien trouvé jusqu'à maintenant. Et le Juif n'est même plus derrière moi. Attendre qu'il se manifeste sans bouger le petit doigt, est à mon avis risqué. Il faut qu'on mette la main dessus. Pigé pourquoi ?

— Vu. Il va très vite faire partie du lot à abattre. Les Garnis, tu as vu ?

— Masson n'était pas à son bureau. Personne d'autre ? C'est pour cela surtout que j'appelle.

Prince médita une seconde, poussa un grognement.

— Dejan, au cabinet 7. Il a quitté les Garnis

pour la Criminelle, mais il doit avoir gardé des tas de contacts.

— Bon, mais ça ce n'est guère mon job... Dans une heure devant le Quai, d'ac ?

— Okay, accepta Prince sans grand enthousiasme.

Il raccrocha, consultant sa montre.

— Je dois partir. Dînez sans moi.

Il n'attendit pas les protestations et sortit, aussitôt encadré par la meute en délire des trois colleys. Il monta au volant.

— Sooo-leil ! Heup.

Le chien bondit vers la cellule photo-électrique, parvint à ouvrir la grille au second bond. Prince klaxonna alors qu'il était dans l'avenue. Il vit la grille se refermer dans son rétroviseur, sans bien savoir si Diane était venue, ou si un autre chien avait réussi.

Des embouteillages le ralentirent à la sortie de l'autoroute, et il mit une heure tout juste pour arriver Quai des Orfèvres. Dex était déjà là, bavardant avec un agent, et ils montèrent ensemble au cabinet 7. Un petit inspecteur à l'air maladif d'adolescent persécuté leur signala que le Principal avait dû partir à la Préfecture, qu'on le trouverait en salle d'Informations, au Commandement de la circulation.

— Pas le temps d'y aller, dit Prince. Appelez et prévenez-le que le colonel Prince le demande... J'ai besoin d'un tuyau, aux Garnis.

— J'ai entendu parler de vous, m'sieur, dit le jeunot. Je peux vous aider, si vous voulez ?

Prince se pencha, inscrivit deux noms sur une

feuille de bloc. Le jeune inspecteur décrocha un téléphone, le visage illuminé de fierté, transmettant soudain les identités d'une voix sans réplique de préfet de police.

— Ça va être vite fait, assura-t-il. Des gars à qui vous vous intéressez ?

— C'est ça, mon vieux.

— Espions ?

— Comme au cinéma, confirma Dex.

Le petit flic détourna le regard, mal à l'aise, Dex pianotait sur le bureau de l'index recourbé. Prince était de plus en plus soucieux. Finalement Heymann n'avait pas tout à fait tort de les traiter d'imbéciles. Ils avaient remué beaucoup de vent, probablement alerté bien des gens, à commencer par les spécialistes de l'ambassade d'Israël. Ça pouvait diminuer la valeur de la peau d'Ingelberg et de Kanazi dans de dangereuses proportions.

Le téléphone sonna et le jeune inspecteur décrocha, soulagé. Il secoua la tête, prononça : « Bon, tant pis, qu'est-ce qu'il faut faire, hein ? », puis posa le combiné sur son socle, l'air malheureux.

— Rien... Vos zèbres habitent peut-être quelque part, mais sûrement pas l'hôtel. A moins que...

— Merci, dit Prince. Ça nous a été très utile.

Il gagnait la porte à grands pas lorsqu'il s'arrêta net. Salle d'Informations et de Commandement...

— A quel étage se trouve le P.C. de la circulation ?

— Deuxième.

Ils sortirent, dédaignant l'ascenseur.

— On va y faire quoi, au P.C. ?

— J'ai le numéro de la Mercédès, répondit Prince, fouillant dans sa poche et en sortant un petit Hermes à tranche dorée. Ça m'était sorti de la tête.

Ils ne mirent que quelques instants à parvenir à la Préfecture, rangeant sans façon la Lancia dans un parking réservé près des cars de C.R.S. Ils durent à deux reprises expliquer qui ils cherchaient, pénétrant non sans mal dans une salle semblable à un dispatching de centrale électrique où semblait régner beaucoup d'animation. Un long vieux jeune homme aux cheveux brillamment argentés, suprêmement élégant, agita la main d'un air nonchalant en reconnaissant Prince. Un raffiné parfum de cigarette anglaise arriva avec lui.

— Eric, on m'a dit que vous me cherchiez ?

— Dejan, présenta Prince. Condisciple à Janson, truqueur en tout genre pendant six ans, et redevenu honnête juste pour qu'on l'accepte à la Grande Maison.

— Vous me flattez, dit le principal, serrant les mains tendues. De quel genre sont vos ennuis ?

— On a le périphérique avec une autre orientation, prévint une voix dans le réseau des haut-parleurs. Qui voulait le péri ?

— Un instant, s'excusa Dejan, écrasant au passage sa Players dans un vieux couvercle faisant fonction de cendrier.

Ils le suivirent jusqu'à la batterie d'écrans de télévision qui garnissaient la totalité de la paroi. Sur chaque écran, des milliers de véhicules de toutes sortes s'entrecroisaient.

— Deux pouilleux qui ont tenté d'attaquer une petite banque de banlieue, expliqua l'inspecteur principal. De vraies cloches : une Chevrolet *Chevy* pour se tirer. Vous parlez ! Excusez-moi. (Une lampe rouge s'allumait devant l'un des innombrables combinés encastrés sur le large pupitre inox.) J'ai six voitures lancées sur eux, et on les a repérés il y a cinq minutes qui filaient sur la porte d'Italie... Une *Chevy*, ça se remarque. Même au milieu de ce fouillis. Allô ?

On pouvait voir le mouvement régulier de la caméra, à quelques kilomètres de là ; elle semblait être munie d'un téléobjectif zoom, et il était possible de distinguer jusqu'aux moindres détails, y compris le numéro de chaque voiture.

— Ça va, on rompt sur Leclerc, prononça Dejan au micro du combiné. Tu me rappelles dès que vous pouvez les épingler. (Il raccrocha.) Ils ont quitté le péri pour monter vers le nord de Paris. On les a sur la mire, et ils sont cuits. Bon. (Il offrait ses Players à la ronde, montrant les écrans.) C'est rigolo, n'est-ce pas ? Trente caméras à zoom dissimulées un peu partout dans Paris, Rungis, les entrées et sorties d'autoroute. Bien dissimulées, je vous le garantis ! Rien ne nous échappe, y compris même quelquefois... (Il clignait de l'œil en direction d'un brave pépé en uniforme qui collationnait des ordres, avança du feu vers Prince.)... y compris même une partie de jambes en l'air du côté des nouvelles Halles de temps à autre, pas vrai, Collard ?

— C'est rare qu'on ait des occasions pareilles,

m'sieur Dejan, parut regretter le vieil agent, écartant une seconde son mini-micro dans la bouche.

— Et quand ça arrive, on est reconnaissants, dit un autre. Pas même le numéro, on note... Devant un juge d'ailleurs, je sais pas si ça serait régul.

— En parlant de numéro, on voudrait connaître le propriétaire de celui-là, dit Prince, sortant un papier de sa poche. Une Mercédès du Corps Diplomatique.

Dejan hocha la tête, lut le numéro, puis arrondit les yeux et les dévisagea longuement. Il hésita une seconde, avant de filer à l'autre bout de la pièce. L'air ironique, il s'immobilisa devant un écran.

— Mes enfants, faut surveiller vos femmes : vous êtes cocus. Venez par ici...

Ils s'approchèrent.

— On est branché sur la 4 de l'express rive droite, dit Dejan joyeusement. Attendez le vert... Le paquet de voitures cache le trottoir pour le moment.

— Une tire en stationnement par-là et c'est le couperet aussi sec d'habitude, dit l'opérateur chargé du secteur. On avise par radio la camionnette-grue et dans les dix minutes qui suivent, on l'embarque.

— La voilà ! s'exclama Dejan. Sans son macaron C.D. on l'aurait levée depuis belle lurette. Il y a plus d'une heure qu'elle gêne, devant le Louvre !

Le flot des véhicules passant le vert se ralentissait, et ils reconnurent avec un creux à l'estomac la Mercédès rangée côté Seine, face à l'aile Médicis du palais du Louvre.

— Pivote, Laurent.

L'agent fit docilement tourner la caméra orthicon, et ils purent lire le numéro en gros plan.

— Hey ! dit le flic brusquement, regardez ça... c'est pas des trous ?

D'autres agents se massèrent derrière eux. Prince ne fut pas long à comprendre : la Mercédès portait des traces de balles. A cette heure de la soirée, avec un silencieux on pouvait faire du travail discret...

— Dejan, fit-il. Je pense qu'il est possible à un agent de la circulation d'aller jeter un coup d'œil à l'intérieur ?

— Sûr. Une minute, j'appelle le P.C. du guichet.

Presque aussitôt, ils virent sur l'écran un jeune agent courir le long du trottoir, tenter en vain d'ouvrir la portière. Il se pencha, redressa la tête et ils lurent dans ses yeux.

— Répercutez dans le 4, ordonna Dejan. Le P.C. envoie.

Ils perçurent un nasillement, puis une voix métallique.

— Agent Desraudes, P.C. du Louvre. Il y a quelqu'un plein de sang au fond de la voiture, à l'arrière. Un type assez vieux aux cheveux tout blancs.

5

Du Quai des Orfèvres au Louvre, il n'y avait que quelques centaines de mètres à parcourir, et ils se rangèrent cinq minutes plus tard derrière la Mercédès. L'agent qu'ils avaient suivi sur l'écran exerçait une surveillance discrète aux alentours. Il arriva en voyant les voitures stopper.

— J'ai prévenu le P.C. qu'elle gênait dès que j'ai pu, fit-il inquiet. Mais c'était une « C.D. ». Ma responsabilité...

— Ça va bien, trancha Dejan agacé, vous n'êtes pas en cause.

Prince se pencha, essayant d'ouvrir la portière arrière côté trottoir, puis celle d'avant. Elles étaient verrouillées. En contournant la 280, il leva la tête. Ils se trouvaient juste devant la façade du Louvre donnant sur la Seine. En contournant l'auto, Dex jugea que la caméra du P.C. de la Préfecture devait être orientée côté guichets.

Prince le rejoignit sur la chaussée. D'autres agents arrivés en renfort canalisaient la circulation, et ils purent examiner en paix les traces de balles sur la carrosserie et l'une des glaces gauches qui portait deux trous très nets.

— Mitraillette à votre avis ? s'enquit Dejan derrière eux.

— Vous ne pensez pas que ça aurait fait un peu de bruit, même à cette heure ?

Un inspecteur muni d'un trousseau passe-partout parvint à ouvrir la portière avant gauche. En allongeant le bras, il déverrouilla l'arrière. Dejan braqua une torche électrique sur le corps tassé de l'autre côté de la banquette. Prince se pencha : c'était bien Ingelberg. Il n'aurait pas fait long feu à Paris.

— Vous le connaissez ?

— Pas du tout, dit Prince. Jamais vu.

Dejan leur adressa un regard très insistant.

— Vous ne vous intéressiez qu'à sa voiture, pas vrai ? Le Salon est proche, mais tout de même...

Il se pencha, inventoria les poches du mort, tirant un passeport et braquant la torche.

— Heinrich Triberg... Adresse à Lunebourg. Toujours rien à me signaler ?

— Dejan, vous me connaissez, dit Prince. Si je savais quoi que ce soit...

— Je sais. En troisième, lorsque je copiais, je n'étais jamais dénoncé.

Le Principal émergea à reculons de l'intérieur de la voiture, regardant autour de lui, puis les quais, ensuite la façade du Louvre. Dex passait doucement son doigt sur les orifices d'entrée des balles. Certaines avaient percé le capot. Le moteur avait dû en prendre un coup.

— Une mitraillette avec un silencieux, c'est plutôt rare, dit-il.

Dejan détacha comme à regret son regard des fenêtres de l'aile Médicis.

— C'est quand même drôle. Une sacrée chance que vous vous soyez trouvés là.

— Vous l'avez dit, mon vieux : nos femmes. On les surveillera.

A son tour, le policier vérifia une à une chaque entrée de projectiles.

— Les mitraillettes n'ont pas de silencieux, fit-il lugubre.

Le sinistre avertisseur d'une camionnette de Police-Secours se rapprochait. Le véhicule bleu escalada à demi le trottoir, se rangeant en avant de la Mercédès. Prince consulta sa montre.

— Je présume que vous n'avez plus besoin de nous ?

— Je n'en ai jamais eu besoin, dit le Principal, l'air de s'amuser. Mais ne vous gênez surtout pas, ajouta-t-il, tournant les yeux, revenez nous voir de temps à autre, là-haut. On fouillera à temps perdu Paris du bout d'une caméra. Je suis sûr qu'ensemble on fera du bon travail.

— Promis, dit Prince. Oh, Dejan ! (Il s'éloignait déjà, avait fait demi-tour.) Vous avez trouvé un bon titre de bouquin policier, il y a un instant, vous vous en souvenez ?

— Aucunement.

— Les mitraillettes n'ont pas de silencieux.

Méditez-le, il peut être utile. Je vous appelle demain pour savoir où vous en êtes.

Prince rejoignit Dex dans la Lancia et ils démarrèrent.

— Les vaches...

Ils tournèrent sur les chapeaux de roues à la hauteur de la Samaritaine, revenant peu après en direction du centre par la rue de Rivoli.

— Carabine 280, non ? fit Dex. Sans doute Remington.

Prince gardait les mâchoires serrées. Il acquiesça en silence, freina devant un café.

— *Il* n'est plus à son bureau à cette heure-ci, fit Dex. Pas la peine de perdre du temps.

Prince était déjà à l'intérieur, dévalant les marches conduisant au téléphone. Il revint assez rapidement, secouant la tête.

— Déjà rentré.

— Il habite où ça ?

— Un hôtel particulier du côté de La Muette.

Ils slalomèrent à travers la Concorde, montant à toute allure en direction du Trocadéro, brûlant un seul feu au rouge. A l'extrémité de l'avenue Paul-Doumer, Prince s'engagea dans une ruelle sombre, stoppant devant une grille noire.

Il sonna à une ou deux reprises très nerveusement, puis laissa le doigt appuyé sur le contacteur. Le visage effaré d'un vieil homme à la figure ridée barrée d'une épaisse moustache blanche apparut.

— C'est vous qui faites tout ce bruit, mon colonel ?

— Je veux voir le patron, Bertrand.

— A cette heure ? Il dîne...

— Ouvrez, et allez lui dire que je suis là. J'espère que ça ne lui coupera pas l'appétit.

L'homme hésita une seconde, puis ouvrit. En entrant, Dex repéra la bosse qui gonflait l'antique veston de velours côtelé, à hauteur de la ceinture. Heymann devait être bien entouré.

— Je vais le prévenir, dit le vieux, l'air ennuyé, les précédant dans un hall luxueux. Attendez ici...

Des pas précipités dans l'escalier de marbre de style Empire précédèrent l'apparition de Mariette. Il s'immobilisa, sourcils arqués, en les voyant.

— A... cette heure-ci ?

— On s'est vite retrouvés, n'est-ce pas ? dit Prince, la figure durcie. Où est Heymann ? Il a fini de bouffer ?

— Oh ! dites-moi, quel ton !

Mariette crânait, souriant jaune, mais ils le sentirent inquiet.

— Il n'a pas fini de... « bouffer », comme vous dites. Attendez dans le salon, je vais vous annoncer.

— Grand Siècle, hein ? dit Prince. Je sais faire ça aussi bien que vous, Mariette.

— Écoutez ! Là vous en faites beaucoup, se fâcha l'adjoint d'Heymann, lui barrant la route d'un geste du bras. Où vous croyez-vous ?

— Chez des assassins, dit Prince.

Mariette ouvrit la bouche pour protester, mais le coup à l'estomac la lui fit fermer, et il la rouvrit aussitôt, s'étouffant, plié en deux. Prince eut le tort de le croire groggy, changea d'avis en se sentant catapulté d'un coup de tête en direction de la rampe dorée en fer forgé. Il se servit de celle-ci comme tremplin, revenant sur son adversaire à la vitesse d'un boulet, l'achevant cette fois d'un violent crochet du droit à la face, aussitôt doublé d'un terrible coup à l'estomac qui ignorait toute orthodoxie mais qui fit sombrer Mariette à genoux sur le tapis, bavant et crachant du sang.

— Mon colonel ! c'est de la démence, s'affola le vieux en revenant. Voyons, reprenez votre calme.

— Qu'est-ce qui se passe ?

Heymann dévalait les marches en robe de chambre. Il ouvrit de grands yeux en voyant Mariette au sol, puis la figure convulsée de Prince.

— Dex, fit-il d'une voix altérée, vous me semblez le seul à avoir gardé du sang-froid. Pour l'amour du ciel que vous arrive-t-il ?

— Nous venons du Louvre, expliqua Dex, s'avançant vers lui.

— Ah, bon, dit Heymann mal à l'aise et cherchant à comprendre. Et c'est... parce que vous venez du Louvre que vous faites tout ce ramdam ? Y avait-il une exposition picturale maoïste, contestataire, palestinienne ?

Mariette se redressait, l'expression haineuse, épongeant le sang sur sa bouche.

— Laissez-moi les vider...

— Toi, tu nous viderais ? (Prince enfonçait son doigt en vrille dans l'estomac encore douloureux de Mariette.) Avant, il faudrait nous farcir

également de 280, l'ami ! Et ça n'irait pas tout
seul, autant te prévenir !

— Eric, je ne t'ai jamais vu ainsi, dit
Heymann, reprenant le tutoiement par anxiété, ou
bien pour tenter de calmer Prince. Explique, bon
Dieu ! Et quelle est cette histoire de 280 ?

— Expliquer ? (Prince alluma un cigarillo
avec des doigts encore tremblants.) Dex... Dis-leur
que ce sont des salauds doublés d'imbéciles.

— Un hasard nous a permis de retrouver la
Mercédès de Kanazi une heure après que Ingelberg y a été descendu, fit Dex, regard rivé à
celui de Heymann.

Heymann enfonça plus profondément les
mains dans la poche de sa robe de chambre.

— Le... hasard vous est très favorable. Kanazi
est-il mort également ?

— Peut-être pourriez-vous répondre à cette
question ?

— Moi ?

— Ça va, rideau, Heymann, intervint Prince.
Tu en fais trop.

— Le colonel a prononcé le mot « d'assassin », prononça Mariette d'un air venimeux. En
parlant de nous.

— C'est fâcheux, déplora Heymann, très sombre. Eric, tu baisses... Avant tu réfléchissais avant
de parler, tu attendais des preuves.

— Remington 280, répétition automatique, les
0,55 que je vous avais moi-même fait venir de
Chicago, dit Prince.

Heymann haussa les épaules avec impatience.

— Insuffisant. Des 280, Winch ou Remington,

il en existe des dizaines de milliers. Et je ne vois pas pourquoi d'ailleurs nous aurions été descendre un ex-criminel de guerre qui... peut, enfin qui peut être utile à...

— C'est mal dit, Heymann, coupa Prince, et tu bafouilles !

— En voilà assez, s'énerva Mariette. Tout ça est complètement idiot. Pourquoi imaginer que nous puissions être pour quelque chose dans cette histoire ? Ingelberg était un criminel de guerre, et des milliers de gens pouvaient lui en vouloir...

— Pas des gens ayant leurs petites entrées de jour et de nuit dans un musée d'Etat. Il nous a fallu moins de dix secondes pour vérifier les trajectoires : *On a tiré de l'aile Médicis !* J'aimerais connaître quelques-uns de ces « milliers » d'éventuels suspects qui peuvent pénétrer dans une salle de musée renfermant des milliards, et se poster à une fenêtre sans qu'on leur pose une ou deux questions !

Heymann leva une main, l'agita.

— Ridicule et disproportionné ! D'abord, faudrait-il encore un mobile. Et puis... (Il laissa retomber sa main, plissa les sourcils dans un effort de concentration.) Dites, ça ne tient pas debout ! Comment imaginer que quelqu'un, même « posté » là où vous le prétendez, ait pu savoir que la Mercédès passerait par-là, à un instant ou à un autre ? Ou bien...

— ... ou bien s'arrêterait, l'aida Prince. Pour l'arrêter juste devant, un jeu d'enfant : soit un rendez-vous, mais c'est aléatoire et fantaisiste, soit *mieux*, la méthode directe : une de tes bagnoles

devant, une autre derrière, coinçant la voiture
contre un trottoir. Par exemple après l'avoir inter-
ceptée, et l'avoir obligée à prendre une direction
bien déterminée.

— Parfaitement idiot, dit Heymann. Infantile,
invraisemblable. (Il consulta sa montre.) Bon, je
termine un bridge et des invités m'attendent en
haut. Est-ce tout ce que vous aviez à me dire ?

— Non, dit Prince. Nous avions à ajouter
ceci : nous ignorons d'*où* viennent les ordres, si
quelqu'un quelque part au-dessus de la grande
Cour d'Honneur est vraiment en liaison avec
l'ambassade d'Allemagne, d'Israël ou une autre.
Pas plus si la mort d'Ingelberg résulte d'un
contrat commun. Mais quels qu'ils soient vous
pouvez dire à vos éventuels correspondants que
cette fois nous sommes tout à fait convaincus :
nous irons jusqu'au bout.

6

— Je n'y crois plus, fit Dex alors qu'ils roulaient en direction de Louveciennes. C'est trop énorme.

— On a vu pire en politique.

L'autoroute était déserte. Ils dépassèrent des motards qui se retournèrent, parurent accélérer. Prince jeta un regard sur le rétroviseur.

— Protéger sciemment, vingt ans durant, une poignée de criminels de guerre, même puissants, c'est invraisemblable, reprit Dex.

Prince surveillait toujours le rétro. Les flics demeuraient à distance.

— Je crois qu'on fait fausse route, fit-il. Il n'est sans doute aucunement question de « protection ». Simplement d'un état de fait. Comme les patrons de Gehlen, criminels de guerre ou pas, étaient devenus intouchables — et cela, nous le savions tous — certains autres ont pu devenir avec le temps si puissants et efficaces, que cinq ou six des grandes Puissances, mêmes juges à Nuremberg, ont fini par se résigner à l'admettre.

— Admettre surtout ce que suggérait Washington ? Bormann et les autres, agents du C.I.A..., acheva-t-il rêveusement. C'est ça qui ferait un flash de première à la Une.

— A Pékin, on a peut-être déjà pu lire des manchettes de ce genre, dit Prince. (Il désigna le rétro d'un mouvement de menton.) Ils suivent toujours.

Dex esquissa un sourire froid.

— Ils nous feraient tout de même pas descendre par des motards de la Préfecture ! (Il tourna la tête.) Ça aussi c'est un peu gros. Des motards ! Pourquoi pas une automitrailleuse blindée ?

Prince mit son clignotant, et ils s'engagèrent sur la bretelle montant vers St-Germain. Les agents motocyclistes continuèrent tout droit. La Lancia roulait sur la 184 depuis moins de deux minutes quand une autre paire d'agents parut décoller d'un carrefour sombre, accélérant dans un grand vrombissement rageur, les suivant à leur tour à distance.

— Qu'est-ce que ça veut dire ?

Dex se retourna à nouveau. Mais il était difficile de distinguer les insignes.

— Préfecture ou Elysée ?

— En tout cas, ils ont la radio et savent s'en servir, dit Prince, écrasant la pédale des gaz.

Dex posa une main sur son bras, désignant les panneaux.

— Attention, il y a une limitation de vitesse...

Si on veut nous coincer, tous les prétextes sont bons.

Prince ralentit. Derrière, les agents en firent autant.

— Et alors ? On va se les trimbaler comme ça jusqu'où ?

— Espérons que Kanazi n'aura pas eu la mauvaise idée de se réfugier chez toi. Il a l'adresse ?

— L'adresse et le téléphone... J'ai peut-être eu tort.

Dex était manifestement de cet avis. Heymann, avec ou pas l'appui de Dahon et d'un ou deux services étrangers, avait pu prendre ses précautions. Depuis quelques heures, l'appartement de Doumer et la villa devaient être, entre autres, sur table d'écoute.

— Eric, on est peut-être idiots... Et si Heymann tenait déjà Kanazi ? Ils ont pu l'intercepter sur les quais ?

— Avant de refermer la Mercédès à clef, en courant le risque d'abandonner le corps d'Ingelberg ? Difficile à croire... A mon avis, le Juif a pu se tirer. Ou bien il ne se trouvait pas dans l'auto quand ils l'ont canardée.

Il ralentit pour braquer et ils s'engagèrent dans une allée cossue bordée de villas. Les agents tournaient aussi.

— C'est pas croyable, un truc aussi voyant, dit Prince.

— Peut-être un avertissement *permanent* d'Heymann du genre « pas de blagues, on sera derrière vous jusqu'à ce que vous ayiez compris » ?

Prince hocha la tête, sceptique, stoppa tout

doucement devant les grilles de la villa. Les deux motards passèrent à vitesse lente, mais sans tourner la tête. Leur casque et les grosses lunettes les rendaient pratiquement identifiables dans la nuit.

Prince passa la tête par la portière, émit un sifflet modulé qui s'acheva sur une note aiguë. Un léger piétinement sur le gravier précéda l'arrivée joyeuse des colleys. L'un d'eux émit un aboiement bref, mais Prince le fit taire.

— Barricade, chut ! Sooo-leil... Heup !

La cellule photo-électrique actionna l'ouverture de la grille quelques instants plus tard et Prince s'engagea dans l'allée, regardant de côté : les motards demeuraient invisibles, semblaient avoir disparu. Il descendit de voiture pour refermer lui-même. Une lumière vive jaillit au-dessus du perron. Diane apparut, en pantalon de cachemire collant, un sandwich à la main.

— Eric, il y a du nouveau.

— Ferme ça, fit-il vivement. Tu me le diras à l'intérieur.

Elle arrondit les yeux, reculant pour les laisser passer, déposant un baiser léger sur la joue de Dex.

— Qu'est-ce que vous avez à jouer les conspirateurs ?

— Quel genre de nouvelles ? questionna Prince, refermant la porte derrière lui.

— Bon... (Elle terminait son sandwich, dévisageant Dex.) Tu dois être également au courant au sujet d'Alexandra, alors je peux parler ?

Ils parurent déçus.

— Bon sang, parle, dit Prince.

La vieille Mme Prince arriva, clopinante, enfouie dans un châle neigeux. Elle arborait une mine désolée.

— La petite a une nouvelle crise, Diane. Tu devrais monter... Et elle a encore changé d'avis.

— Tout à l'heure elle hésitait entre accepter ta main, ou partir installer un émetteur-pirate au large de la Floride, dit Diane gaiement.

La vieille dame tendit quelques doigts frileux à Dex.

— A présent, elle ne veut plus... Bonsoir, monsieur Marston. (Elle frôla l'épaule de son fils.) Eric, tu devrais sermonner Sandra, te montrer ferme. Sans ça, elle va aller un jour ou l'autre trouver n'importe quelle matrone, et elle fera des blagues. Elle est à bout de nerfs.

— Je monte la voir...

— Il y a eu aussi un coup de fil, un peu après que tu sois parti, se souvint Diane, désinvolte, filant vers la cuisine. Un type qui disait que ton tissu était prêt. Une drôle de voix, arabe, arménien, je ne sais pas...

Prince échangea un bref regard avec Dex.

— Mon... tissu ?

— Tu achètes du tissu à des Arméniens maintenant ? Tu veux du café ?

Il l'avait suivie dans la cuisine, secoua la tête.

— Pas de café. Qu'est-ce que t'a raconté exactement le type ?

— Je te l'ai dit, que ton tissu était prêt... ou arrivé, enfin je ne sais plus. Enfin que tu pouvais venir le chercher.

— Il t'a... donné son adresse ?

— Eric ! (Elle s'était détournée, pleine de reproches.) Tu achètes du tissu à des Arméniens et tu ne sais même pas *où* ?

Dex arriva, et à leurs visages tendus, elle devina qu'il y avait autre chose derrière l'histoire du tissu.

— Bon, ça va, je deviens idiote... J'avoue que je n'avais pas fait le rapprochement avec une éventuelle salade du Service. Non, il n'a donné aucune adresse, mais s'est présenté sous le nom de Société... Machin, Truc, attends je l'ai noté...

Elle repartit en courant jusqu'au salon, dégageant un bloc à couverture dorée de dessous le téléphone, le feuilletant.

— Voilà... Louvrexport, puis il a ajouté china, ou sina 6, il m'a dit que tu comprendrais et je n'ai pas insisté. (Elle claqua dans ses doigts.) Si ! il a encore dit que tu n'en aurais pas pour longtemps pour aller jusqu'à Poissonnière. J'ai cru qu'il blaguait et j'ai raccroché sec.

— Poissonnière ?

Dex se baissa pour tirer un annuaire téléphonique d'un meuble d'acajou. Prince le regarda faire, essayant de trouver le joint : Louvrexport... Ça pouvait se traduire aussi par « tiré du Louvre » ou « loin du Louvre ». Kanazi avait pu flairer un éventuel contrôle téléphonique, se méfier. Dex lui passa l'annuaire.

— Eric... China, c'est sans doute Syna. Synagogue. Au 6 de la rue Ambroise-Thomas. (Il désignait une ligne de l'index.) Métro Poissonnière. Ça ne peut être que ça.

— Allez, on fonce.

Dex referma l'annuaire.

— Pas si vite... Avec les zèbres qui nous attendent au-dehors, il vaut mieux faire attention. (Il tourna la tête.) Diane, tu as la petite Fiat 850 ici ?

Elle acquiesça d'un battement de paupières.

— Ils nous obligent à faire du cirque, on va en faire, décida Dex. Diane, enfile un pardessus de ton frère, flanque-toi les cheveux dans le col avec par-dessus une de ses impayables casquettes à pompon et va te promener. Avec la Lancia.

— Quoi ? A cette heure-ci ! Et avec le coupé ? Vous êtes fous.

Prince avait compris. Il n'y avait tout de même pas au-dehors une escouade en surveillance. Le départ de la Lancia suffirait sans doute à distraire les deux agents.

— Fais ce qu'il dit, Diane. Dehors, on nous attend.

— C'est ça ! envoyez-moi à la mort... Des tueurs vous guettent et...

— Ce n'est pas des tueurs, mais la police.

— De mieux en mieux... Et il faudra les conduire où ça ?

— Bon sang, où tu veux. Va par exemple boire un verre à l'*Hermitage*, à Saint-Germain. Ça doit être encore ouvert à cette heure. Diane... (Prince avait retenu sa sœur par un bras au moment où elle s'éloignait.) Tire la casquette quand tu seras dans la salle et secoue bien tes cheveux. Je suis sûr que ça les amusera, ils seront fous de joie.

Elle partit quelques minutes plus tard à bord

du coupé, évitant d'éclairer le perron. La grille s'ouvrit, la voiture s'élança dans l'avenue déserte, et presque aussitôt ils perçurent un double vrombissement, discernèrent la lueur furtive des phares qui balayaient la vigne vierge de la villa. Par précaution, ils attendirent dix bonnes minutes, puis s'engouffrèrent dans la Fiat.

A une heure du matin, ils roulaient en direction de Paris, longeant la Seine durant quelques instants, puis filant droit sur Puteaux. Ils traversèrent la porte Maillot sans avoir aperçu le moindre véhicule suspect.

7

Après la rue Lafayette, ils s'engagèrent dans un lacis de ruelles, essayant de se repérer, déchiffrant tant bien que mal les plaques. Soudain, une petite voiture fut derrière eux, son conducteur faisant de nerveux appels de phares. Dex, au volant, ralentit, puis stoppa. Prince descendit, sur ses gardes, sa main frôlant sa ceinture, s'approchant d'une Austin jaune.

— Alors ?

Un inconnu très jeune aux yeux clairs passa un visage méfiant par la portière.

— Plus de Lancia ?

Prince comprit sans mal que Kanazi avait dû préciser la marque de leur voiture, secoua la tête.

— Plus. La synagogue, c'est vous ?

— C'est nous, dit le jeune type, à présent tout à fait convaincu. Je passe devant. Suivez.

Prince rejoignit la Fiat, et Dex redémarra après que la petite Austin les eut doublés. La synagogue devait être un simple point de contact ; ils la dépassèrent, se demandant où l'autre les entraînait. Deux cents mètres plus loin, les indicateurs de direction de l'Austin clignotèrent. Ils braquèrent eux aussi en direction d'une cour sombre, franchissant un porche. Derrière eux, la lourde porte se referma sans bruit. Un homme arriva et ils reconnurent Kanazi.

— Vous devez trouver que ça fait très cinéma, pas vrai ? Croyez-moi, on y est obligé.

— *Qui* vous a tiré dessus devant le Louvre ? demanda Prince en descendant de voiture.

D'autres ombres apparaissaient dans la cour, se massant devant une sorte de boutique aux rideaux levés, flanquée d'une double plaque émaillée : « *Verrerie-Ménage. Vente en gros uniquement.* »

— Ne craignez rien, dit Kanazi. Nous sommes chez des amis... Venez.

— On vous a posé une question. Répondez d'abord.

Kanazi grogna dans la pénombre.

— Je sais d'où vous venez et ça m'amuserait de coincer les services de l'Elysée. Mais je dois à la vérité de dire que ce n'est probablement pas eux.

— Expliquez-vous.

— Hey ! c'est pas le moment, s'énerva Kanazi, je vous dis qu'on nous attend.

— C'est vous, que nous sommes venus voir. On se fout des gens « qui attendent ».

Kanazi fit craquer ses articulations, hochant la tête, empoisonné.

— Il n'y a pas de quoi se vanter. Une voiture

américaine noire qui nous suivait depuis un moment... Après le tunnel des Tuileries, elle nous a coincés contre le trottoir et je n'ai rien pu faire.

— Ne nous prenez pas pour des imbéciles. Les balles ont été tirées de haut en bas.

— Hey ! laissez-moi finir. On n'avait pas encore compris ce qui nous arrivait. Ingelberg et moi, que la bagnole repartait déjà. Derrière, une sorte d'énorme bahut de déménagement est arrivé et... j'ai senti les balles percer la carrosserie sans entendre grand-chose. Le camion était déjà loin quand j'ai compris qu'on s'était fait avoir en beauté à la carabine à silencieux. Ingelberg était touché, j'ai pris son argent et certains papiers, lui laissant son passeport-bidon. Bon... Ça vous paraît clair ?

— Pas très, dit Prince. La Mercédès... A qui appartient-elle ?

— Ambassade d'Israël. Mais je m'en servais depuis des mois... Des tas de bagnoles circulent d'ailleurs avec un C.D. plus ou moins autorisé.

— Pourquoi ne pas être reparti avec ?

— Vous rigolez ? Quatre ou cinq des balles ont dû toucher le moteur. A propos... comment avez-vous su aussi vite qu'on nous avait mitraillés ?

— Laissez tomber ça. Dernière question : qui, selon vous, a fait ça ?

— Détails tout à l'heure, trancha l'Israélien. Votre petit interrogatoire, j'en ai déjà plein les bottes. Suivez-moi.

Deux hommes s'approchèrent, l'un d'eux prononçant une phrase sèche, impérative dans une langue qu'ils crurent reconnaître : de l'hébreu.

— Hey ! toujours leurs trucs de mômes à la flan, maugréa Kanazi, se retournant vers eux. Ils tiennent à ce que vous fassiez le serment : rien de ce que vous allez voir ou entendre ne devra jamais être répété.

— Qu'est-ce qu'on va « voir et entendre » de si extraordinaire ?

Dans le silence qui suivit, ils perçurent des chuchotements méfiants. La lourde porte se rouvrit, se referma. Des silhouettes furtives arrivaient, traversaient la cour.

— Je vous ai fait confiance et je vous trouve bien agressifs, dit Kanazi, fouillant dans sa poche et avalant une sorte de pastille. C'est sérieux, ce que vous allez « voir et entendre », je vous en réponds.

— La conspiration ne nous a jamais amusés, lâcha Prince. Et ce rendez-vous est idiot. Bonsoir.

— Colonel ! (La voix de Kanazi était sèche et irritée.) Il ne s'agit aucunement de conspiration. Pas dans le sens où vous l'entendez en tout cas. Bon, ça va ! (Il semblait prendre une décision lourde de conséquences.) Je vous fais confiance et lâche le paquet. Dites-vous bien que si vous n'êtes pas réguliers on se retrouverait toujours.

La porte se rouvrit une nouvelle fois, laissant le passage à une Cadillac du dernier modèle. Elle était conduite par un chauffeur en casquette. On ne pouvait apercevoir les occupants installés à l'arrière.

— Où sommes-nous à la fin, Kanazi ? questionna Dex perdant patience. Ou vous nous le dites, ou nous fichons le camp.

L'Israélien serra un poing, se décida à contre-cœur.

— Vous vous trouvez à la section *samch*, des groupes *Yashar*. Samch pour Seine. Yashar veut dire Tout-Droit. En 44 on nous appelait également les Lanciers.

— *Stern* ?

— Plus de *Stern*, plus d'*Irgoun*, dit Kanazi d'une voix tranchante. Rien que des Juifs luttant contre l'arbitraire et la saloperie. Même si... on trouve tout ça à Tel-Aviv même et y compris dans l'entourage de la mère Meier. Maintenant, je peux vous le dire : c'est moi qui étais allé chercher Ingelberg au fin fond du Brésil. Mais il y aura d'autres Ingelberg pour nous aider. Venez !

Ils échangèrent un regard, et cette fois le suivirent. L'un derrière l'autre, ils pénétrèrent dans un vaste entrepôt aux parois couvertes d'emballages, de vaisselle et de vases en cristal, vrai ou faux. Des hommes et des femmes assis sur des caisses, ou debout, les regardèrent entrer avec suspicion, et les conversations s'arrêtèrent net.

— Frères, je réponds d'eux, dit assez théâtralement Kanazi. Je les ai vus à l'œuvre, au pays, il y a quelques années. Rappelez-vous les archives Eichmann que Ben Gourion et sa clique nous refusaient ! On nous les refusait parce que justement ces papiers mettaient en cause certains dirigeants actuels d'Allemagne fédérale. Et que le petit père Gourion ne pouvait accepter l'idée que ses grands copains de Bonn, qui lui lâchaient l'or par millions de marks, pourraient être dans l'ennui à cause de ces documents.

Prince s'adossa à une caisse, sentant le regard de Dex peser lourdement sur lui. Ils pensaient la même chose : où avaient-ils mis les pieds ? Tout était étrange et suspect dans le comportement de Kanazi.

— Tu parles et tout ça c'est bête, *khayal* Sammy ! lança une voix de femme aiguë. A-t-on profité finalement de ces soi-disant révélations ? Qui les a publiées ?

Un homme d'une cinquantaine d'années aux traits lourds de Yéménite, vêtu de façon voyante, ses doigts couverts de bagues, fit un pas, ses gros sourcils broussailleux blancs froncés.

— Hey ! *Khayalim*, et *Khayalot*, vous tous qui écoutez ! fit-il désignant vaguement l'assemblée du bout d'un gros cigare qui répandait une odeur âcre, êtes-vous d'accord avec ce gros abruti de Sammy qui nous a amenés des gens du service secret français ? Moi, je dis non !

— Ils sont pas du service secret français, réfuta Kanazi, avalant une autre pastille. Ils en sont même si peu qu'ils ont failli se faire épingler par des gens de l'Elysée ce soir. Ils sont indépendants.

Prince n'aimait pas du tout la tournure prise par les événements.

— Nous n'avons rien demandé ! fit-il abrupt. Sammy Kanazi est venu nous contacter en compagnie d'un ancien colonel allemand SS, et quelques heures plus tard nous avons appris la mort de

cet Allemand. Kanazi nous a appelés au téléphone et nous sommes là.

— *Shalom*, fit l'homme au cigare d'un air dégoûté, mettons que je n'ai rien dit. *Barouch ha-ba*,
les amis. Ecoutez, et soyez méfiants : les bavards,
nous n'aimons pas.

Prince lui lança un regard oblique, amorça un
quart de tour.

— La paix, dit Kanazi à son tour. Bensala dis-
cute dur, mais il est objectif. Bensala, vous en
avez entendu parler ? fit-il tout à coup plus gaiement. Dynamitage de l'ambassade britannique à
Rome après la guerre, destruction des radars
anglais de la côte, et j'en oublie. En ce temps-là
il n'avait ni gros ventre ni bagues et il ne fumait
pas le cigare.

— Ta gueule, dit Bensala, aux anges.

Kanazi ne s'occupait pas de lui, désignait tour
à tour un long vieillard très élégant, une grosse
femme à l'allure épaisse et un petit homme au
regard fuyant mal habillé.

— Lui, c'est *monsieur* Bernstein. En une
seule nuit en 46, il a supervisé la destruction de
tous les ponts reliant la Palestine aux pays arabes.
Du côté opposé à Bensala, pourtant. Monsieur
Bernstein, c'était l'extrême droite, la belle et
onctueuse *Irgoun*, autrement dit les nazis juifs,
notre fascisme à nous et pourtant...

— Tu en rajoutes, dit aigrement Bensala.
Sourdine.

— Si tu veux, accepta Kanazi, se tournant
vers la femme. Elle, ce gros boudin — te fâche
pas *khayalet* Sarah, on sait que tu as eu les plus

belles fesses de la *Hagana* dans le temps — elle,
c'est Sarah « Quick-Shoot », Sarah Tir-Rapide.
Elle n'avait pas son pareil pour mitrailler de
l'Anglais et foncer dans le tas, à l'arrivée des
bateaux de réfugiés. Sarah, c'est une ancienne du
Stern, la gauche, la communarde, la *Stern* va-
charde au couteau entre les dents.

— Parole, Bensala a raison, grogna la femme.
T'as bu, Sammy, t'es rond comme une soupière.

Prince observait l'activiste juif. Le fait était
qu'il paraissait nager depuis quelques instants au
milieu d'une très subite euphorie ; sa gaieté était
forcée, factice. Peut-être prenait-il des amphétamines.

— Et lui ! claironna Kanazi, désignant le petit
homme timide. David Kowalsky, dit David Kot-
Kot, parce qu'il gloussait à chaque fois qu'il
égorgeait un Anglais ou un Palestinien. Et aujour-
d'hui ?

Il se retourna, la figure enflammée, expédiant
directement une pastille dans sa bouche entrouverte.

— Aujourd'hui que nous ne sommes plus là,
hein ? Qu'est-ce qui se passe ? Au pays, on fait
dans ses culottes derrière de grands coups de
clairon. Des bandits attaquent les avions, d'autres
enlèvent, pillent, tuent, et moi je vous le dis !
rappelez-vous ! (Il déglutit avec une grimace, avalant quelque chose.) On avait les mêmes bandits
en face de nous pendant des années, armés par
Hitler au lieu de l'être par les Chinois, et ils ne
bougeaient pas face à nous. Les *Frères* du Caire,
avec leur doctrine nazie raciste — de quoi se

marrer à voir leurs gueules ! — sans compter les Phalanges libanaises, syriennes toutes à la suite des lèche-bottes de Vichy. Et tout ce monde-là fou de terreur et fuyant rien que d'entendre parler du *Stern* ou de l'*Irgoun*. Et maintenant ?

Prince en avait par-dessus la tête, se demandait comment filer. Kanazi cependant parut se calmer.

— *Khayalim* et *Khayalot*, soldats et soldates, Frères et Sœurs, ça va, je ferme ma grande gueule, parut-il s'excuser. Je suis nerveux et agité, mais il ne faut pas m'en vouloir : il y a quelques heures, j'ai failli crever, et vous le savez on m'a tiré dessus, liquidant l'unique témoin que j'avais pu ramener du *Cercle de Fer*.

Le mince vieillard à l'élégant costume paraissait très contrarié.

— Tu as bien parlé quoique un peu trop, monsieur Sammy. Mais il s'agissait de digressions assez inutiles ce soir. Nous sommes ici, tous des bons Juifs, honnêtes et tout, pour discuter justement de ce qui se passe dans le *Cercle de Fer*, et pas d'autre chose.

Kanazi s'était assis sur une caisse allumant une cigarette de papier maïs, le visage de plus en plus creusé, ses yeux glauques inexpressifs errant dans le vague.

— Ça va, ça va, Bernstein, fit-il, agitant sa cigarette sans lever la tête, j'accepte le blâme. Continue, Bernstein, t'as pas essuyé de rafales, toi, Bernstein.

Le vieillard le foudroya d'un mauvais regard, continua. Son élocution était étrange, distinguée mais hésitante, avec une élégante pointe d'accent d'Oxford.

— J'ai dit, que nous les combattants, les vrais, tant de droite que de gauche, nous représentons la Sainte Alliance d'Israël pour combattre cette abomination, je veux dire...

— Bernie, tu fais des phrases et tu t'écoutes, s'énerva le gros type au cigare. Dis-leur ça clairement : y a des millions et des millions d'entre nous qui ont disparu dans les fours ou se sont retrouvés en savonnette, et aujourd'hui les coupables sont libres, connus, pourris de dollars et la Presse du monde entier la boucle. Voilà ce qui faut dire, Bernie !

Il agitait son cigare avec véhémence, la figure écarlate, postillonnant.

— Il faut dire aussi, Bernie, que même au pays tout le monde s'en balance ! Les petits mecs blonds des kibboutzim qui sautent d'un *Mirage* à réaction pour aller rigoler avec des Ukrainiennes en minijupe entre deux balades en tracteur, ils sont aussi loin d'Auschwitz que pourrait l'être un Martien, la vérité c'est ça ! Le monde entier s'en fout peut-être mais au pays c'est du pareil au même. Voilà comment faut cracher ça aux « bons Juifs et tout » qu'on est ici ! En pleine gueule !

Il s'échauffait, convulsé de colère.

— Au pays, comme en Amérique ou en France, en Angleterre, chez les Russes même, c'est la conspiration du silence ! C'est fini qu'on nous dit, faut la boucler, penser à autre chose. Si Bormann, Mengele, Muller et consorts brassent peut-être des milliards en Argentine ou au Paraguay, laissez brasser. Ils sont utiles à la politique. Tous les quatre ans, un procureur allemand signe un grand registre en criant « qu'il faut punir et qu'il n'y aura pas d'amnistie ! », et là-bas dans leurs fazendas ou leurs appartements à deux cent mille dollars de São Paulo, du Curitiba, d'Asuncion, ou de Buenos Aires, les salauds qui ont envoyé vos mères, vos pères se faire arracher les tripes s'envoient maintenant des poules américaines ! Protégés par les nouvelles sections de protection EIDEN, entre deux discussions d'affaires, avec les envoyés plus ou moins secrets de Nixon et des grandes banques ! Bernie, en pleine gueule faut nous expédier ça, à nous « les bons Juifs et tout » qu'on est ici.

Bernstein demeura une seconde comme paralysé, ses yeux effarés se posant alternativement sur les assistants, et sur Bensala échevelé. Tout à coup il fendit les rangs, et sortit en dépit des mains qui se tendaient et des appels au calme.

— Fallait que je le dise, grogna Bensala. Fallait que ça sorte. Tant pis à ceux à qui ça plaît pas.

Dex s'avança vers Kanazi.

— C'est terminé ? Nous devons rentrer.

— Excusez-les, dit l'Israélien, broyant sa cigarette maïs sous sa chaussure. Je ne croyais pas non plus que ça finirait en foutoir. Je regrette d'avoir insisté pour vous faire voir ça.

Il se leva.

— On se discrédite, soupira-t-il, c'est le mot, on se discrédite. (Il se grattait l'oreille, la figure détournée.) Mais vous savez, il faut les comprendre, ils sont au bout de la patience. C'est quand même assez honteux ce qui se passe dans le *Cercle de Fer*. Et il faut pas croire...

Brusquement des coups de sifflets parvinrent du dehors, puis des grincements de frein. Un jeune garçon surgit épouvanté.

— Les poulets ! Tirez-vous !

Prince grimaça, songeant que la soirée serait complète avec une rafle, se sentant poussé par Kanazi.

— Sur la gauche ! Vite... Foncez. Derrière les tas de vaisselle.

Ils piétinèrent des amas de paille d'emballage, écrasant des assiettes bon marché par douzaines. Des gens leur avaient déjà ouvert un passage en direction d'une sorte de cave d'où montait une âcre odeur de moisi et de charbon.

— C'était couru, se lamenta Kanazi, on faisait tous un bruit à la con. Surtout que dans les étages, il y a des locataires qui peuvent pas voir les Juifs. Quelqu'un a dû téléphoner aux flics.

Ils grimpèrent d'autres escaliers, émergeant dans un couloir sombre qui empestait l'urine.

— Ça donne sur la rue Richer, lança Kanazi essoufflé. Avec un peu de pot...

Derrière eux, s'entendaient un martèlement de pas et des stridulations aiguës. Les agents avaient dû repérer le passage. Ils perdirent quelques secondes à manœuvrer l'ouverture électrique d'une porte, jaillirent dans la rue en même temps qu'une demi-douzaine d'autres assistants en fuite qui les avaient suivis. Cinq minutes plus tard, ils se mêlaient à la foule encore dense qui se pressait sur les boulevards.

A l'abri d'un renfoncement ouvert dans une vitrine de confection, ils virent passer deux cars de Police-Secours bourrés d'hommes et de femmes.

— Je vous ai joué un sale tour, pas vrai, dit Kanazi, amèrement. Parlez d'un cirque... Faut m'excuser.

— C'était malgré tout instructif, dit Prince.

Ils retournèrent ensemble en direction de la rue Richer.

— Votre Fiat était dans la cour, mais il y en a des tas qui couchent là, la nuit, dit Kanazi rassurant. Dans une heure ou deux, vous la récupérerez sans histoires. Bonsoir.

Dex l'arrêta.

— Dites-moi, à un moment, le gros type au cigare a parlé des « nouvelles sections de protection EIDEN ». Qu'a-t-il voulu dire ?

Kanazi alluma une autre de ses cigarettes maïs, le considérant d'un œil bizarre à travers la flamme. Il hésitait, se gratta la joue.

— *Eiden*, hein... C'est la contraction de *Eizenkreuz mit Degen und Brillanten*. Croix de Fer avec épées et diamants sur feuille de chêne. La plus grande décoration hitlérienne. Le symbole même de l'Honneur avec un grand H chez eux. Eiden est une émanation des groupes *Odessa* qui, dans les derniers mois de la guerre, et surtout après, se sont chargés de l'évacuation des nazis importants en vue de l'avenir.

— Ses membres doivent faire un peu « vieilles gloires », non, après tout ce temps ?

— Erreur, dit Kanazi. Ce sont aujourd'hui les fils et les filles de tous les anciens gros pontes qui militent dans les associations extrémistes et aux groupes de protection. Les croulants ont passé la main, depuis longtemps. Dans *Eiden,* on trouve tout autant des gosses d'ex-collabos, traînés par leurs parents de Siegmaringen, à Hambourg, ou Rio, que des descendants d'authentiques criminels de guerre installés à Alexandrie, à Stockholm ou à Buenos Aires. Une sacrée éducation à la Rosenberg et à la Streicher, ils ont eue, vous pouvez m'en croire.

— Haine du Juif comprise ?

— De la « haine » ? ricana Kanazi. Si c'était que ça ! Leurs parents leur ont inculqué en vérité une véritable phobie sémite. Je suis sûr que vous en prenez un et que vous lui demandez de choisir entre pénétrer dans une synagogue ou la vérole, le choléra, être bouffé par les piranhas, ils vont aussi sec se faire plomber ou plongent d'eux-mêmes. De jeunes tueurs idiots et hystériques, voilà ce qu'ils sont !

— A votre avis, ce sont des gens d'*Eiden* qui vous ont attaqués et ont tué Ingelberg ?

— Ça se pourrait bien, dit Kanazi après un long silence tendu. Et ça se pourrait aussi qu'ils n'aient pas perdu l'espoir de m'envoyer le rejoindre dans pas longtemps. Bonne nuit.

8

Ils avalèrent des huîtres dans une brasserie proche, histoire de laisser passer un moment, puis allèrent sans encombre récupérer la Fiat 850. Il était finalement trois heures et demie du matin lorsque Prince déposa Dex devant la porte de son immeuble de l'avenue Paul-Doumer. Il fit demi-tour au carrefour Muette et reprit à toute vitesse la route de Louveciennes. Il se sentait vanné, parvenait à peine à tenir les yeux ouverts, une douleur sourde et lointaine dans la poitrine s'irradiant comme un signal d'alarme dans tout le côté gauche du corps. Il en faisait trop, pressentait qu'un jour ou l'autre il lui faudrait le payer. Partir ? Un voyage qui s'annonçait encore plus chargé d'imprévus que les autres.

Il se demanda combien d'heures il avait dormi en trois nuits, renonça à faire le compte. Il décida qu'une fois que tout serait fini il embarquerait Sandra dans un 747. Au *Las Brisas* d'Acapulco, il était connu, et...

Il arrêta net ses réflexions : deux motards

étaient derrière lui depuis qu'il était entré dans
le bois. Il surveilla plus attentivement le rétro :
Heymann ? Cette fois, impossible... Il était ridicule même à la réflexion de l'avoir soupçonné un
seul instant. Il décida de lui passer un coup de
fil, au matin, pour s'excuser.

Il remonta ses mains sur le volant, accélérant
peu après avoir passé le champ de courses, contrô-
lant régulièrement le miroir. On n'y voyait plus
rien de suspect. Peut-être cette fois était-ce une
coïncidence. Il brancha la radio, écoutant les
informations, loin cependant des nouvelles d'Am-
man, et de la mort de Nasser, se demandant qui
pouvaient bien être ces motards.

L'autoroute était totalement déserte, et aussi
loin qu'il pouvait voir derrière aucun phare n'était
plus visible. Il lui sembla pourtant discerner de
brefs reflets lointains ; comme si les rampes
d'éclairage avaient renvoyé régulièrement des
éclats métalliques.

Il parvint devant la villa sans n'avoir rien
remarqué d'anormal. Il freinait, prêt à siffler les
chiens, quand la lumière s'alluma au-dessus du
perron. Sa mère arrivait, courant gauchement
comme toutes les vieilles dames, ajustant un châle
sur ses épaules.

— Eric... Diane est avec toi, j'espère ?

Il la vit passer la main devant la cellule et
une nappe de sueur glaça son dos. Les cheveux
blancs en bandeaux doux entourant le visage fine-
ment ridé brillaient sous les phares, et l'image lui
serra le cœur sans qu'il puisse dire pourquoi.

— *Diane ?* Elle n'est pas rentrée ?

La grille s'ouvrait et il redémarra, percevant le « Mon Dieu ! » de sa mère dans un lointain cotonneux. Il freina, accueilli par les colleys, les écartant, jetant un regard sur sa montre : quatre heures vingt...

— Où peut-elle être, Seigneur ! gémit la vieille Mme Prince. Oh ! toi et tes sales histoires !

— Calme-toi, fit-il, plus blême, escaladant les marches. Peut-être a-t-elle rencontré quelqu'un ?

— Tu sais bien que non ! Ça ne lui ressemble pas. Et elle aurait appelé pour me prévenir.

Dans le living, il s'élança vers le téléphone. Alexandra descendait vivement les marches, en pyjama et robe de chambre de soie jaune.

— Tu... n'es pas avec Diane ?

— Bon sang, non, tu vois bien !

Il composa le numéro de l'appartement de Doumer, reconnut la voix d'Anne Marston après de longues secondes d'attente.

— Désolé de vous réveiller, Anne, fit-il, sûr pourtant par avance de la réponse, Diane est sortie, et n'est pas rentrée, elle n'est pas chez vous ?

— Mais non ! Pourquoi cela ? (Il entendit sa voix plus sourde et lointaine, elle parlait à quelqu'un.) Eric, une seconde...

La voix de Dex s'interféra.

— Tu as appelé l'*Hermitage ?*

— Pas encore, dit Prince. J'arrive à l'instant. Je le fais.

Il raccrocha, hésita une seconde. Alexandra feuilletait déjà fébrilement l'annuaire, à genoux sur le tapis. Il fit pivoter par sept fois le cadran, attendit contracté, perçut le déclic.

— Bertrand, colonel Prince à l'appareil. Mille regrets, encore moi. Je veux le patron d'urgence.

— Dieu du Ciel, avez-vous vu l'heure ?

— Je me fous de l'heure ! Vite.

Il patienta de longues secondes, intensément observé par Alexandra. Il passa avec tendresse une main sur ses cheveux et elle plaqua la tête contre sa cuisse.

— Je veux partir... rentrer au Canada, Eric. J'ai assez de tout cela.

— Eric ! clama une voix furieuse dans l'écouteur. Vous m'avez toujours traité comme un larbin, mais cette fois c'est marre.

— Ne te fâche pas, capitaine, prononça Prince d'un ton ennuyé, presque humble. Je veux simplement ta parole : as-tu mis quelqu'un derrière nous durant ces dernières quarante-huit heures ?

Heymann dut comprendre immédiatement que quelque chose d'important se passait.

— Eric, c'est une question stupide, répondit-il gravement. Parole que non. Personne. De quel genre ce « quelqu'un » ?

Prince raccrocha avec des gestes lents. Un muscle battait à son cou. Il perçut quelque part derrière lui les gémissements entrecoupés de sanglots de sa mère. Il appela l'*Hermitage*, dut attendre encore. Une voix endormie lui répondit avec méfiance. « On » ne savait rien, « on » n'avait vu personne, « on » n'avait pas remarqué de Lancia blanche. Il remit le combiné sur sa fourche, fixant un point vague devant lui, incapable de supporter le regard d'Alexandra et les gémissements.

— Fais-moi du café, veux-tu.

Alexandra fila vers la cuisine, et il s'approcha de la fenêtre, écarta les rideaux. Du côté de l'est, le ciel grisaillait, et on commençait à distinguer les érables du parc. Le jour se levait, et l'aube lui parut fausse, hostile. Un sale matin... Tout près, les branches de deux cerisiers du Japon amoureusement taillés par sa mère s'entrecroisaient, et entre elles on apercevait les motifs dorés de la grille. L'image étincelante d'épées aux fusées endiamantées sur champ de feuille de chêne au-dessus d'une croix de fer lui traversa l'esprit, et il serra un poing.

— Eric, que va-t-on faire ? sanglotait Mme Prince. Tu ne peux pas rester ainsi à attendre ?

— Que veux-tu que je fasse ? hurla-t-il, se détournant. Je... (Il alla vers elle, lui frôlant l'épaule.) Excuse-moi. On va trouver. Et il ne lui est peut-être rien arrivé.

— Dieu veuille que tu dises vrai.

Il revint vers le téléphone, prêt à le soulever, y renonçant. Alerter Dejan et mettre la Criminelle dans le coup était prématuré, disproportionné, dangereux, peut-être.

Alexandra lui apporta son café peu après. Il terminait la tasse lorsqu'une voiture stoppa sur la route. Il reconnut le moteur de la Mustang d'Anne, jetant un regard sur sa montre : Dex n'avait pas perdu de temps, un quart d'heure et même moins pour venir de la Muette. Sandra courut ouvrir et Dex entra peu après, balançant son chapeau sur le divan du living, le rejoignant dans la cuisine.

— C'est ma faute.... C'était grotesque, cette idée !

— J'aurais pu avoir la même idée, dit Prince. Et au sujet des motards, on a été « grotesques » ensemble ! Imaginer qu'Heymann nous fasse filer par des agents motocyclistes était absurde. Il fallait qu'on soit dingues...

— ... ou fatigués, compléta Dex. On est crevés, Eric. En trois ou quatre mois, l'histoire de Suez, la salade d'Istanbul, les guérilleros du nord-est. Il faut qu'on s'arrête.

— Sers-lui du café, Sandra, dit Prince d'un air étrange. Il a drôlement besoin de café.

Dex achevait sa tasse quand Prince s'enquit à mi-voix :

— Tu t'arrêterais, toi ? Maintenant ?

Dex leva les yeux par-dessus son café.

— Sûrement pas.

— Jouer les héros et faire des phrases, n'est-ce pas ? dit amèrement Sandra derrière eux. Mais où est Diane ?

Prince l'écarta et ils sortirent de la cuisine. Dex rafla son chapeau au passage, pendant que Prince enfilait son veston de tweed.

— Où allez-vous ? s'affola Mme Prince.

— St-Honoré, m'man ! Dans une heure, on peut avoir réuni la moitié des effectifs spéciaux de l'Elysée.

Le téléphone sonna, les pétrifiant. Prince se rua vers l'appareil, décrocha, serrant les dents de fureur et de déception en reconnaissant la voix de Kanazi.

— Colonel ? J'ai pas dormi de toute la nuit et j'ai fait, je crois, un sacré bon travail ! Ça peut vous intéresser de savoir qu'on pense que Bernstein va nous démolir auprès de la Centrale d'Action de Tel-Aviv ?

— Je m'en fous complètement ! Ecoutez...

— Attendez, que diable ! On est presque sûrs : même Tel-Aviv est prêt à se dégonfler en ce qui concerne une ruée en force sur le *Cercle de Fer* ! Ils ne marchent plus non plus ; ils ont les foies. Ou bien la mère Meier et sa putain de politique aux fesses...

— Je regrette, ce n'est pas le moment Kanazi. Rappelez.

— Colonel ! je suis en ce moment même au domicile d'une Française... une ancienne héroïne de la Résistance, décorée et tout. Déportée dans trois ou quatre camps. Elle est... Allô ! bon sang, vous m'écoutez ? Elle est présidente d'une Association de Victimes du nazisme, une des plus importantes d'Europe. Elle a un projet sensationnel. Une idée terrible, à l'échelle *mondiale*, réellement mondiale.

Prince perçut du bruit derrière lui, entrevit sa mère qui sortait en coup de vent. Une vieille femme se tenait de l'autre côté de la grille, faisant de grands gestes.

— Kanazi, je vous rappelle...

— Par le Diable ! attendez... Un instant, je vous la passe !

Prince écoutait à peine, regardant du côté de la grille sa mère qui parlait avec la femme.

— Colonel Prince, prononça une voix em-

preinte de distinction dans l'écouteur, madame de
Chassy, vicomtesse de Saint-Prades à l'appareil. Je
conçois de ce que cet appel à une heure aussi
indue peut avoir d'étonnant, mais mon vieil ami
Kanazi a beaucoup insisté. Du reste, je vous
connaissais déjà de réputation grâce à une mienne
parente, heu... Frédérique de Saint-Prades, que
vous avez aidée lors de circonstances difficiles.
Nous savons que nous pouvons compter sur vous.
L'idée de notre association est réellement construc-
tive, et tous ceux qui ont souffert du nazisme dans
les camps seront enthousiasmés. Il s'agit véritablement d'un projet...

— Eric ! cria Alexandra, revenant en courant,
le mari de la gardienne de la villa d'à côté a
paraît-il vu la Lancia dans le bois de Marly ! Il
revenait de chez Renault...

— Colonel ? nasillait la voix stupéfaite dans
l'écouteur.

— Excusez-moi, je vous rappelle, dit Prince
avant de raccrocher et de suivre Alexandra qui
repartait vers la grille.

Les chiens bondirent de joie en voyant Prince
courir, mais il les écarta, s'immobilisa devant une
femme âgée aux cheveux gris et à l'air effaré qui
consolait sa mère gauchement.

— Faut pas vous en faire, madame Prince,
votre grand fils va y aller voir...

— Bonjour, madame Monnier, dit Prince, la
reconnaissant. Alors ?

— Bon, alors mon mari était de tiers de nuit
chez Renault, mais il a quitté Flins plus tôt.
Parce que faut vous dire qu'on a une fille qu'a

accouché à Versailles. Il a pris par la D 7, et juste un peu avant le souterrain sous l'autoroute, il a reconnu vot' voiture dans un petit chemin. Vous parlez si on la connaît, le numéro et la couleur !

Dex broya le bras de Prince et ils s'élancèrent ensemble vers la Mustang.

— Merci, madame Monnier !

— Il a bien vu qu'il y avait du louche, mon mari ! cria la femme au milieu du vrombissement du moteur mis en marche, puis courant un peu alors qu'ils démarraient. Il m'a appelé au téléphone pour que je vous prévienne ou que je prévienne la gendarmerie si par hasard vous étiez pas là !

— Eric ! je viens avec vous.

Sa mère courait, pitoyable et Prince fit signe à Dex de ne pas s'arrêter. Ils traversèrent peu après Marly, s'engageant dans la forêt. Le jour était tout à fait levé, mais le temps était gris, des écharpes de brume s'accrochaient aux arbres qui commençaient à perdre leurs feuilles. De loin, à travers les branches, ils virent scintiller des chromes, et Dex lancé trop vite écrasa le frein. Ils durent revenir en marche arrière vers le petit sentier forestier. Prince descendit, la figure grisâtre, ayant constaté d'un coup d'œil qu'il n'y avait personne dans l'auto.

Ils en firent rapidement le tour, évitant de parler. Les portes étaient ouvertes, la clef de contact sur le tableau de bord... Prince hésita une seconde, les arracha et alla ouvrir le coffre arrière : il était également vide. Un poids lourd passa sur la route, faisant frémir le sol, voler des feuilles mortes, couvrant les pas de Dex qui s'était éloigné, regardant tout autour de lui.

— Eric !

Prince s'approcha, la douleur dans sa poitrine devenue intolérable, quelque chose de glacé descendant dans ses muscles, les rendant rigides comme du cristal : Diane gisait sur le côté, les poignets liés dans le dos, bâillonnée, totalement nue des pieds à la ceinture. Muet d'horreur, il vit les traces de sang sur les cuisses, la peau déchirée.

— Elle vit, bon Dieu, souffla Dex. Aide-moi.

Il arrachait le foulard graisseux serré autour de la tête et Prince se laissa tomber à genoux sur les feuilles crissantes, desserrant les nœuds, les doigts tremblants. Diane gémissait, essayant de se retourner.

— Ne bouge pas.

Dex courut jusqu'à la Mustang, en revint avec un plaid écossais. Il en enveloppa Diane et la prit dans ses bras, retournant vers la Ford en courant.

— Je pars devant ! Prends ta voiture... Clinique Plessis, à Marly-le-Roi. Juste à l'entrée.

La Mustang démarra en grondant, manœuvra, et Prince la vit repartir en direction de la Seine, parvenant mal à réagir. Il rouvrit la portière de la Lancia, s'immobilisa la gorge très sèche, discernant un vague dessin tracé sur la glace arrière. Il contourna la voiture pour mieux voir : dans la poussière légère de la glace se distinguaient parfaitement l'image de deux longues épées croisées au-dessus d'une croix de Malte.

9

En ressortant de la clinique, ils virent la 850
se ranger au bord du trottoir et Mme Prince en
jaillir, les traits plissés par l'angoisse. Alexandra
tentait de la retenir en vain. Prince regretta
d'avoir prévenu sa mère, sûr l'instant d'après que
ç'avait été pourtant indispensable.

— Eric ! (Elle se jetait dans ses bras, et il ne
fit rien pour la consoler, demeurant silencieux et
lointain.) Dis quelque chose ! Ils étaient deux à...
à l'attaquer ? Quelle abomination. Ma petite fille...

— Elle n'est plus en danger, M'man... Du
calme.

— Ta voix ? gémit-elle, elle est... elle est
comme indifférente, on dirait... Eric !

— Je te jure qu'on la vengera, dit-il, l'écartant. Sandra, occupe-toi d'elle.

— Madame Prince, intervint Dex, essayez de
garder votre sang-froid, là-haut. Diane a subi un
choc. Ne pleurez pas... faites comme s'il ne s'était

rien passé de trop grave. Sandra, essayez de la raisonner.

Elle acquiesça d'un mouvement de tête, prit doucement Mme Prince par un bras. Une infirmière qui les attendait en haut des marches leur ouvrit précipitamment la porte.

Prince demeura une seconde immobile devant la Lancia, désignant de la tête la glace arrière et son dessin vague dans la poussière.

— Les salauds, chuchota Dex. On les aura.

— Pour l'instant en tout cas ils ont violé Diane et on est de sacrés cons.

— Qu'a-t-elle dit ?

— Pas grand-chose. Elle était sous l'effet du choc, d'une piqûre aussi. A la sortie de l'*Hermitage*, elle n'a pas compris ce qui lui arrivait. Un homme s'est précipité sur elle avec une arme, s'est assis sur la banquette avant et l'a obligée à démarrer, lui indiquant la route. De l'autre côté de Marly, elle a vu une moto, un autre type qui faisait des signes. Après, ils l'ont frappée paraît-il comme des dingues et se sont précipités sur elle. Elle... croit qu'elle a perdu connaissance. (Il hochait la tête.) A moins qu'elle n'ose pas tout dire.

— Elle a pu les voir ?

— Celui qui était devant la boîte, vaguement. L'autre pas du tout.

Il s'installa dans le coupé, attendit avant de refermer.

— On va à Doumer... Cassan doit me faire expédier les contretypes des microfilms relatifs à Ingelberg. On lui demandera ce qu'il a sur ces ordures d'*Eiden*.

Il démarra sec et Dex le vit s'éloigner sans enthousiasme : Prince était à bout de nerfs et de forces, conduisait anormalement, ayant failli heurter le trottoir en partant.

Il démarra aussi, le vit se tromper de route, comme s'il avait eu un instant l'intention de repasser par la ville, puis repartir sur la 184 dans un grincement d'engrenages malmenés. Ils s'engagèrent sur l'autoroute à une allure exagérée, et Dex jeta un coup d'œil inquiet sur son propre compteur qui frôlait le 190. Il appuya sur l'allume-cigares, le tira, laissant le geste en suspens, le regard tout à coup rivé sur le rétroviseur : deux hommes en moto caparaçonnés de noir des pieds à la tête, d'énormes lunettes leur couvrant la figure avaient surgi, le doublaient déjà, ne s'occupant apparemment pas de lui, roulant à une démentielle vitesse : plus de deux cents.

Il remit lentement l'allume-cigares dans son logement, enregistrant la lueur du feu rouge, à deux cents mètres déjà en avant : les motards ralentissaient, se rangeant sur le côté. Une Jaguar E qui doublait tout le monde dans un long hurlement d'avertisseur le fit se retourner. Il médita un instant, décrocha le téléphone de bord.

— Poste sur véhicule U 80, deux zéros. Un circuit ; d'urgence, je vous prie.

Il perçut un grésillement, donna le numéro de l'appartement de Doumer, entendit le bourdonnement, reconnut la voix.

— Mac ? J'appelle de l'autoroute de l'Ouest. Je n'ai pas de contact H.F. avec Eric qui roule à trois cents mètres devant. Préviens-le qu'il est

filé. Qu'il reparte vers Rocquencourt, à la sortie
du tunnel. Je suis derrière, pas d'initiative. Tu lui
répètes ça.

— Okay, pas d'initiative, tu es derrière.

Dex remit le combiné à sa place doublant une
file de voitures, inquiet de ne plus revoir la Lancia. Il apercevait les deux motards loin en avant,
mais le coupé semblait avoir pris du champ. Il
finit par le revoir, ralenti par une Dyane qui
entreprenait le dépassement laborieux d'une Alfa.
Toute la file en était ralentie et il freina aussi,
craignant un instant d'approcher les motards de
trop près. Il profita du calme pour ouvrir la boîte
à gants, en tirant le 38 long après une ou deux
secondes de nervosité, le revolver malencontreu-
sement coincé par un petit extincteur aérosol.

Il frôla son front, se sentant fiévreux, humecta
ses lèvres. Il cherchait à comprendre... Il était
difficile d'imaginer que les deux motards n'aient
pas repéré la Mustang, ne s'intéressant qu'au passage de la voiture de Prince, mais cela semblait
pourtant être la seule explication logique. Une
ahurissante filature, en tout cas... « De jeunes
tueurs idiots et hystériques », avait dit Kanazi.
Peut-être après tout les deux hommes avaient-ils
reçu une consigne qu'ils suivaient aveuglément sans
s'interroger.

La Dyane avait semblait-il renoncé à doubler
l'Alfa-Romeo, se rangeait. Toute la file put repartir, et Dex accéléra aussi, un peu avant le tunnel.
Il se demandait avec inquiétude si Mac avait pu
obtenir un circuit. Il savait les opératrices du cen-
tral-radio PTT chatouilleuses sur les questions de

propagation dès que le véhicule demandé était hors de Paris.

Il resserra nerveusement les doigts sur les branches du volant en revoyant le coupé blanc à la sortie du souterrain de St-Cloud. A deux ou trois cents mètres devant, le double éclair rouge des stop le rassura : Prince avait reçu l'appel.

La Lancia repassa peu après à la hauteur des barrières métalliques, repartant avec rapidité vers l'Ouest, et il ne broncha pas, certain que de son côté Prince éviterait de tourner la tête ou de faire un quelconque signal.

Il fut conscient quelques secondes après de l'ahurissement des deux motocyclistes qui, un instant avaient zigzagué sur la chaussée, mettaient pied à terre, tournant la tête, effarés, repartant en sens inverse.

Dex braqua à son tour à toute vitesse, faisant spectaculairement siffler ses pneus, en reprenant la direction du tunnel. Il put voir dans son rétroviseur, deux des C.R.S. de garde bondir sur la chaussée, suivant avec méfiance l'épilogue de ce quadruple et peu régulier carrousel.

A la sortie du souterrain, il écrasa l'accélérateur. Toute explication ou interception aurait été impossible dans le bois ou dans Paris. A présent, devant, l'autoroute était pratiquement déserte...

Il revit pivoter l'aiguille du tachymètre avec satisfaction, atteignit le 180, poussa de la pointe de la chaussure le compresseur spécial monté sur le moteur. La Mustang parut bondir, comme propulsée par une fusée, et l'aiguille dépassa le deux

cents en quelques instants. Il arrivait sur les
motos dans un hurlement d'avion à réaction, quand
pour la première fois l'un des hommes, qui avait
dû le repérer dans son rétroviseur, tourna la tête,
faisant un geste du bras.

De sacrés engins... Ils partaient sur la gauche,
accroissant rapidement leur vitesse, doublant le
coupé blanc. Il appuya encore, montant à 220,
dépassant à son tour la Lancia. Les précautions
n'étaient plus de mise, et Prince lui cria au passage une phrase qu'il n'entendit pas, sans doute
un conseil de prudence. En avant, les deux machines revenaient sur la droite, escaladant la bretelle montant sur St-Germain sans le moindre signal, virevoltant autour d'un camion, puis d'un
autre.

Sur le pont, un C.R.S. à l'air estomaqué, leva
une main pour les stopper. Il n'eut que le temps
de se rejeter de côté. Les motos le frôlèrent avant
de déraper, se couchant à demi, l'une sur la
droite l'autre sur la gauche, avant de se séparer
comme sur une aire de virtuosité, la première
filant sur Versailles, la seconde dans la direction
de Saint-Germain. Dex serra les dents : jolie tac-
tique... Il ne pouvait suivre les deux en même
temps.

Il choisit St-Germain au hasard, manquant de
peu d'achever le C.R.S. qui sauta en arrière, terrorisé, arrachant en même temps une arme de
son holster de ceinture. Dex fut satisfait de voir
dans son rétro que Prince arrivait, stoppait, bran-
dissant quelque chose par sa glace ouverte.

La moto qu'il avait prise en chasse avait gagné

du champ. Il ne la revit que dans la descente du
Cœur Volant qui plongeait à tombeau ouvert. Son
pilote prenait des risques insensés, sautant sur les
pavés, exécutant un incroyable slalom entre camions et voitures qu'il croisait ou dépassait.

Dex vit arriver les feux du carrefour avec un
creux désagréable à l'estomac. Ils étaient au
rouge. La moto passa sans ralentir, frôlant une
R 16 dont le chauffeur braqua d'effroi vers le
fossé. Dex choisit également de foncer, coupant
pour son compte la route à un gros camion de
déménagements qui parut se cabrer, au milieu
d'un grand fracas d'objets brisés et d'un long sifflement d'air comprimé.

Dex franchit un autre feu, au vert cette fois,
mais un agent se mit à siffler, s'époumonant,
alerté sans doute par le vacarme du premier carrefour. Il ne s'en préoccupa pas, revoyant la moto
noire dans la montée de Saint-Germain. L'homme
se retournait fréquemment, manifestement affolé
par l'approche du centre de la petite ville, et la
circulation qui devenait dense.

L'ampoule du radio-téléphone se mit à cligno-
ter, mais Dex, accroché des deux mains au volant
comme dans un rallye, avait autre chose à faire,
parvenant à moins de trente mètres de la moto-
cyclette. Il put cette fois voir distinctement la
marque et l'immatriculation : une B.M.W. portant
une plaque allemande timbrée d'un double H. Il
chercha une seconde l'origine du HH, trouva :
Hansestadt Hamburg. Au même instant, la moto
parvint devant un jeune agent penché sur une
femme portant un bébé. Dex leva le pied par ré-

flexe, crut qu'ils y passaient, fut soulagé de les voir s'écarter, pivotant de terreur. Il les rasa également de près, perçut les stridulations furieuses, accéléra encore.

Une ligne droite s'ouvrait devant lui et il décrocha le téléphone, raccrocha : il n'y avait plus rien au bout. Il essuya ses mains moites à son pantalon, frémissant tout à coup d'allégresse comme un chasseur à courre voyant le gibier cerné par sa meute : il y avait des travaux à une intersection, un camion-grue en manœuvres... La moto se coucha à nouveau, le type en noir se ruant au hasard sur la gauche. Dex suivit et les ouvriers émergèrent de leur trou, sidérés.

Brusquement, ils furent sur la grande route rectiligne tracée au milieu de la forêt. Dex fut certain que l'hallali était proche, jeta un regard sur le compteur dont l'aiguille paraissait prise de folie, tressautant entre le 220 et la butée. Un bref couinement précéda la retombée flasque de la tige blanche ; le flexible avait dû céder, le constructeur prévoyant probablement ni compresseur ni moteur truqué.

Il fit descendre la glace de la main droite, chercha le 38 à tâtons sur la banquette : l'arrière de la moto se rapprochait. Cent mètres... cinquante. Il discerna un paquet long entouré de plastique sombre fixé entre l'énorme réservoir et le siège arrière, crut deviner.

Le type se retourna, ses roues frôlèrent dangereusement le bas-côté. Il plongea la main dans sa poche et Dex grimaça, sceptique. En quinze ans de carrière, il n'avait pas été témoin d'un

seul tir arrière réussi ou même possible en res-
tant sur le siège d'une moto lancée à 200.

Le panneau arrière d'un gros camion parut arriver sur eux à toute vitesse, et le motard faillit ne
pas le voir, braquant à l'ultime seconde, main
sur la droite. Dex le vit faire un saut, s'engager
sur le bas-côté pierreux, fut persuadé qu'il percu-
tait, doublant pour sa part le camion à gauche
dans un long hurlement d'avertisseur.

Un increvable : la moto réapparaissait sur la
route, dérapant, puis reprenant une trajectoire à
peu près droite. Au-dessus de l'épaule bardée de
cuir noir joua l'éclat d'une arme, et quatre ou
cinq éclairs bleutés précédèrent des détonations
assourdies. L'autre tirait sans voir, et manquait
de chance : aucune balle n'avait fait mouche. Dex
appuya à fond fermement décidé cette fois à en
finir.

Le pare-chocs de la Mustang se rapprocha à
nouveau centimètre par centimètre de l'arrière de
la B.M.W. L'autre tourna la tête, son visage se
convulsant derrière les hublots de ses lunettes sous
l'éclatement d'une nappe de soleil renvoyée par
une voiture qu'ils venaient de croiser. Dex songea à un scaphandrier prêt à perdre son tuyau à
oxygène. Un homme jeune en tout cas... Vingt,
vingt-cinq ans.

Il braqua sec une première fois, et le pare-
chocs heurta l'arrière de l'engin avec une étrange
douceur, l'envoyant cependant déraper sur la
gauche. Dex freina, zigzaguant pour l'éviter, le vit
reprendre avec fureur la ligne droite.

Il perdit d'interminables secondes à le rattra-

per, inquiet de cette âcre odeur d'huile brûlée
parvenant du moteur, attendant cette fois d'être à
la hauteur de la roue arrière, tournant sèchement
le volant, mâchoires durcies. Le brusque fracas de
ferraille se confondit avec le grondement du moteur d'un camion qui les croisait. Dex entrevit la
figure épouvantée du chauffeur du poids lourd,
freinant alors que la moto partait telle une fusée
en direction du fossé. Elle escalada une bosse, une
seconde tout à coup verticale comme dans un mur
de la mort de fête foraine, retombant en tour-
billonnant, éjectant son pilote avec une terrible
violence.

Dex revenait en marche arrière, sautait hors
de la Mustang, certain que le type était mort, qu'il
était impossible de survivre à un tel choc, puis
à cette glissade sur le ventre. Il accrocha juste
à temps l'éclat haineux du regard, se sentit sou-
levé d'admiration.

— Tu es un dur, mais lâche ça ! Tout de suite.

Il discerna le tremblement du doigt ganté sur
le pontet, tira, eut la satisfaction de voir le
pistolet sauter à deux mètres comme dans un
western. Le type était retombé à plat ventre, son
dos se soulevant irrégulièrement. Dex ramassa
l'arme : un petit 32 à la crosse à présent éclatée.

— Debout !

Un grincement strident d'air comprimé précéda
des bruits de pas précipités sur l'asphalte. Le
conducteur du poids lourd doublé arrivait, affolé.

— Dites, mais vous êtes fous ! Tous les deux...
Hé ! qu'est-ce que vous lui faites ?

— Ne vous en occupez pas, mon vieux. Foutez le camp. Dans votre intérêt.

— Bien, m'sieur, bien...

Il remontait à son volant, démarrait lorsque la Lancia surgit, freinant en se cabrant à moins de dix centimètres de l'arrière.

— Qui est-ce ? lâcha Prince, bondissant.

— Enlève le paquet sur la gauche et on file, fit Dex. Pas la peine de moisir. Le second peut revenir. Ou alerter du monde. (Il toucha l'épaule bardée de cuir du bout de son canon.) Debout, je t'ai dit !

— *Was wollen Sie ? Lassen Sie mir, Saukerl !*

— Du calme et d'abord lève ça, tu ne serais pas beau pour le retour, dit Dex, se penchant et arrachant lunettes et casque. Mais tu emportes le tout, on en aura besoin.

Prince revenait avec le paquet noir dont le plastique était déchiré. L'homme le dévisagea avec haine. La chevelure châtaine coupée d'une élégante mèche blanche, il était solide, athlétique, à première vue plus joueur de base-ball d'Université américaine que tueur à gages. Ses yeux étaient allongés, d'un vert incroyable : des yeux de femme.

— Un vrai jeune premier, blagua Prince balançant le paquet dans la Lancia. Et outillé avec ça : une 280 à lunettes 0,55 du dernier modèle Winch. A propos, et ton copain ? Un sacré dégonflé...

Le type bougeait, apparemment prêt à bondir et Dex se méfia, certain en tout cas à présent qu'il était tout à fait indemne. Il le redressa par une épaule, désignant la Ford Mustang du canon de son arme.

— Monte au volant, champion. Je pourrais ainsi prendre une leçon et mieux te surveiller. Si tu conduis aussi vite et bien qu'à l'aller, pour rentrer à Paris, tu auras peut-être droit à une prime : on discutera un peu avant de te démolir la gueule.

10

Au retour, Prince les suivit à distance. Ils traversèrent Neuilly, puis il klaxonna longuement un peu avant d'arriver au parking de la porte Maillot. Dex dut comprendre, et la Mustang s'arrêta. Prince abandonna la Lancia dans le parc, rejoignit la Ford. Dex changeait déjà de place, reprenant le volant.

— On repart, *Freund*, dit Prince prenant le relais et s'installant à l'arrière. Tiens-toi tranquille.

Le type en noir, à présent assis à droite à l'avant tourna furtivement la tête.

— Je comprends rien à tout ça.

— Tu parles mieux français, on dirait... Envoie tes papiers. Et pas un geste de trop !

Le 38 était braqué sur lui, à travers la banquette. L'homme s'exécuta, expédiant son portefeuille.

— Passeport... Je suppose que tu as un passeport ?

La Mustang se coucha en tournant à toute allure en direction des jardins du Ranelagh. Le type exagéra le mouvement, renvoyé trop loin vers la portière, le 38 immédiatement braqué sur son épaule.

— N'en fais pas trop ! Passeport.

L'autre lui jeta un mauvais regard, tira un carnet sombre de sa poche. Il était aux armes de la République fédérale. Prince le feuilleta en sifflotant.

— Ecoute ça ! Il est sujet allemand, mais s'appelle... Roland-Jacques-Marie Drieux. Né à Tütlingen/Bade-Wurtemberg en 46. Hé ! tu voyages pas mal, l'ami... Merida/Yucatan. Guatemala/Gua. Buenos Aires... Même Amman/Jordanie, tu te rends compte !

Il empocha le passeport, se penchant intéressé.

— Tu vas y faire quoi, dans tous ces coins ? Remplir des... contrats ?

La Mustang tourna sèchement, s'engageant sur la rampe conduisant au garage souterrain de l'immeuble. L'homme était moins tranquille. De fines gouttes de sueur brillaient sur son front.

— Où m'emmenez-vous ?

— Tu verras. Descends ! Tu lèves bien les bras, hein... Comme un brave petit tueur qui a compris ce qui lui arrivait.

— Moi ? Vous...

— Ta gueule !

L'homme avança jusqu'à l'ascenseur, et Dex jeta un regard sur Prince. Il fallait faire vite. Qu'un des copropriétaires de la section gauche de l'immeuble vienne à descendre et la situation

serait gênante. Mais ils purent avoir la cabine
aussitôt. Dex se plaqua à la partie vitrée, de façon à masquer ce qui se passait à l'intérieur. Au
premier coup de sonnette, Mac vint ouvrir, et prit
un visage ahuri.

— Qu'est-ce que c'est que cet oiseau noir ?

— Un des hommes à la moto.

Dex ferma la porte derrière eux. Anne arrivait, et elle se figea, stupéfaite.

— Dexter ! J'ai déjà dit cent fois... Pas ici.

— Il n'y avait pas d'autre solution. Apporte-
moi mon Polaroïd. Toi... va sur la gauche.
L'escalier : monte.

Ils émergèrent sur la terrasse qui dominait
l'avenue Paul-Doumer et le carrefour Muette.
Lorrain sortit en bâillant de l'espèce de roof exté-
rieurement décoré de canisses et de fleurs grim-
pantes, mais aux murs de béton de trente centimètres. Il les vit et ne posa aucune question, s'ef-
faça pour les laisser entrer.

— C'est notre maison de campagne, expliqua
Prince. Tu y seras très bien.

Le type regarda avec angoisse autour de lui.
Il n'y avait aucune fenêtre dans la petite construction. Les murs étaient tapissés d'instruments de
mesure, de cadrans, de tubes à volant visiblement
destinés à manœuvrer les antennes qui surmon-
taient cette manière de bunker.

— Tu vides toutes tes poches, ordonna Dex.
Gentiment.

Lorrain revint tenant à la main le Polaroïd que
lui avait apporté Anne.

— Qu'est-ce qu'on en fait ?

— Remets ta tenue de salaud, *Freund*, dit
Prince.

— Qu'est-ce...

— Tout ! insista Dex. Le casque, les lunettes
et après tu agrafes ta belle veste de cuir.

— Bon ! il faut s'entendre... L'un me dit de
vider mes poches, l'autre...

Le coup partit avec une telle violence que le
pseudo-Drieux alla percuter la paroi de ciment,
s'assommant à demi, ouvrant des yeux démesurés.

— Compris ? Tu jettes tout au sol. Et quand
on dit tout, c'est *tout !* Après seulement tu te
rhabilles.

L'homme s'exécuta, et Prince repérant aussitôt le carnet de passage *Branniff* le ramassa, le
feuilleta en sifflotant.

— Joli circuit... Hambourg, Paris, Rio et Foz
de Iguaçu... Où ça se trouve, ce bled ?

— Je connais, fit Dex. Confins Brésil, Argentine, Paraguay. Tu es prêt, Marie ?

Le premier flash éclata et Dex tira aussitôt sur
la double bande, attendit quelques instants, déchira, le tout, séparant le positif de l'enduit pâ-
teux.

— C'est gâcher de la couleur avec une telle
gueule noire... Tu lèves tout maintenant. Le casque, les lunettes, le foulard. Qu'on admire ta jolie
face de salaud.

Le jeune Allemand les vit glacés, déterminés
face à lui. A un mouvement convulsif des lèvres,
ils sentirent qu'il avait définitivement compris,
qu'il avait peur. Il obéit et Dex prit la seconde

photo, la développa, tirant l'autre positif couleur au bout d'une demi-minute.

— Mac ! tu fixes en bas à l'acide, et tu donnes les deux clichés à Anne. Qu'elle prenne un taxi et qu'elle fonce immédiatement à Marly-le-Roi, clinique Plessis. Qu'elle montre les deux photos à Diane. Si ça lui rappelle quelque chose, qu'elle téléphone aussitôt. En revenant de Marly, tu passes aux Archives. Je veux tout sur *Eiden*.

Prince surveillait le type. Sa pomme d'Adam montait et descendait, et la sueur cette fois coulait en minces rigoles sur sa peau. Il avait vu sortir Mac avec terreur.

— Tu as changé depuis qu'on t'a vu dans la forêt de St-Germain, *Freund*, fit-il d'une voix glacée. Tu as *beaucoup* changé. Tu n'aimes pas qu'on tire ton portrait ?

— Michel ! appela Dex.

Lorrain arriva. Il n'était pas rasé, et ses traits étaient tirés. En vieillissant, il ressemblait de plus en plus à Paul Meurisse.

— Tu en as une bobine.

— Passé ma nuit à surveiller les harmoniques d'un bélino pour le compte du Quai, grogna Lorrain. Des trucs incroyables... Un gars qui envoie des espèces de plans de quelque part à quelque part. Un mur quelconque ou une grue de construction de l'avenue doit nous renvoyer le signal en parasite. Au Quai, ils ont essayé, il n'y a qu'ici...

— On s'en fout, dit Prince. Pour le moment, il y a plus pressé que de jouer les larbins au profit du Quai. Essaie de nous dénicher un type

nommé Kanazi dans Paris. Ça ne doit pas être si
difficile. Ce matin à sept heures, il était encore
chez une bonne femme... attends un peu, voilà :
truc de Chassy, comtesse ou vicomtesse de Saint-
Prades. Elle doit être dans l'annuaire. Si tu le
trouves, tu nous le ramènes... Il sera heureux sans
doute de bavarder avec notre ami.

Lorrain partit à son tour, et Dex alla fermer
soigneusement la lourde porte bétonnée, revint
s'asseoir sur l'une des tables d'aluminium, repous-
sant un gros engin chromé surmonté d'un rouleau
noir qui continuait à pivoter. Il appuya sur un
bouton et le rouleau s'arrêta. Il regarda gentiment
l'homme en noir qui haletait doucement, plaqué
à la cloison, toujours surveillé par le 38 de
Prince.

— Rentre ça, Eric, dit-il, je suis sûr que
Freund va se montrer très compréhensif. D'où il
vient et qu'est-ce qu'il fait, *Freund ?*

— Allez crever, chuchota le type, comptez pas
sur moi.

— C'est fou ce que tu parles bien français pour
un type né dans le Bade et voyageant autant.

Prince posa tout doucement le P 38 et le
32 Smith & Wesson à la crosse brisée sur une
étagère proche. Drieux tourna les yeux vers les deux
revolvers.

— Ne t'excite pas, Marie-Jacques je ne sais pas
comment. Il ne faut pas être pressé...

— Pressé ?

— Pressé, dit Prince froidement. Si quelqu'un... dans une clinique de banlieue reconnaît
l'une des photos, 32 et 38 vont t'aider à compren-

dre. Après ça, il n'y a pas une minette, de San Pauli à Brazilia qui voudra t'approcher.

— Ton père était français ? s'enquit Dex. Tourne-toi contre le mur, ta gueule me déplaît, finalement. Tu déboucles ta ceinture, et tu déboutonnes ta braguette. Tu restes sage en tenant fort ton pantalon et en étant bien gentil, d'accord ?

— Allez-vous...

La manchette l'atteignit en plcine gorge, et ses yeux roulèrent affolés dans les orbites. Il dut se retenir au mur, un filet de sang apparaissant à la commissure des lèvres.

— D'accord ? répéta Dex.

L'homme obéit, se retourna. Le pantalon de cuir noir tomba sur les courtes bottes plissées et il le retint à pleines mains.

— Français, ton père ? répéta patiemment Dex.

— Oui.

— Administration de Vichy, Milice, Doriotiste ou assimilé ?

— Non. (Le jeune type avait tourné la tête, et une fugitive expression de fierté avait illuminé son visage.) Etat-Major des volontaires antibolchéviques.

— Drieux, hein, fit Prince, cherchant à se souvenir. Ça ne me dit rien. En tout cas, tu ne dois pas lui ressembler, l'ami. Soldats perdus ou pas, pour être LVF, il fallait quand même en avoir... Ton père a foncé en Ukraine ou à Berlin, flingue en main, et il pensait sûrement pas qu'il aurait un fils voyou tueur-de-ville, faisant des contrats et violant les filles sans défense ! C'est papa qui t'a incité à entrer dans *Eiden* ? Ça m'étonnerait.

Drieux tourna de nouveau la tête, et ils virent la peur s'étendre encore sur sa figure en sueur.

— Qu'est-ce que vous dites ? *Ei...* quoi ?

— La vérité est que vous êtes de sales petits cons, dit Prince, s'approchant, la voix frémissante de rage. Vous avez lu l'histoire des épées aux diamants dans les bandes dessinées et vous vous êtes emparés de ça, en bavant de fierté. Mais c'étaient des hommes, *Freund*, ceux qui ont obtenu les feuilles de chêne avec épées et diamants à leur croix de Chevalier de la Croix de Fer ! Vous les salissez, en vous servant de leur gloire !

Dex tira une mallette à lui, poussa un contact. En penchant un peu la tête, Prince put voir sous la protection de plastique orange que les bandes magnétiques commençaient à pivoter.

— Passons aux choses sérieuses, l'ami. Tu as un micro là-bas et il t'écoute. Que faisiez-vous ton copain et toi derrière nous ?

— C'est le hasard...

— Le hasard. Bon. Qui a abattu Ingelberg et pour quelle raison ?

— Je connais pas d'Ingelberg.

— Bon. (Prince alla se rasseoir sur l'angle de la table d'alu.) Une bonne chose de faite. Après cette longue confession, il nous faut un peu de repos... Marie-Jules-François, je ne sais pas, dis-nous un peu la raison de ces balades entre Hambourg et Foz de Truc, à la frontière paraguayenne.

— On fait du tourisme.

— Bien sûr...

Prince balançait la jambe nonchalamment ; il se pencha pour reprendre le passage *Branniff*, le feuilleta. Au moment de le refermer, il vit sur la notice « assurances » une sorte de schéma réuni par des points. En bas et à gauche, il lut Curitiba. De là partaient des lignes aboutissant à d'autres noms : Scharlach, Wilmarsum, Neu Breslau, Neu Berlin, Stettin, Heimat, Dona Emma. Il redressa la tête, expédia le carnet à Dex.

— Tu as entendu parler de ces lieux de villégiature ?

— Oui, fit Dex d'un air sombre, refermant le carnet. Santa-Catarina du Brésil, à la limite Paraña. Toutes des villes du...

La sonnerie du téléphone l'interrompit, et il fit un pas pour décrocher. Prince sentit une douleur en coup de poignard dans la poitrine. A travers les nasillements, il avait reconnu la voix d'Anne... Dex ne prononça pas un mot, raccrocha et se retourna très pâle, inclinant affirmativement la tête.

— Bon, alors fini le tourisme, prononça Prince d'une étrange voix trop calme, à peine sifflante.

Il amorça un lent demi-tour, comme s'il réfléchissait, ramassa brusquement les deux armes, les tenant par le canon. L'homme en noir cria une sorte d'insulte, voulut se protéger, mais les crosses s'abattaient à répétition sur sa nuque, sa tête, sa figure et son front, ouvrant de larges traînées sanglantes, brisant des dents. Il sombra à genoux, les mains au-dessus de sa tête, hurlant, crachant du sang, projeté contre le béton avec une incroyable

violence à un dernier coup sur la mâchoire. Dex
perçut le craquement de l'os brisé, s'interposa,
ceinturant Prince pour l'obliger à reculer.

— Ça va... Il a son compte. Calme-toi !

La porte du roof bétonné s'ouvrait. Lorrain
apparut en compagnie de Kanazi. Celui-ci fumait
l'une de ses cigarettes à papier maïs. Il vit
l'homme ensanglanté au sol, s'approcha, expirant
un long filet de fumée, la tête penchée, comme s'il
vérifiait un travail en spécialiste.

— Jolie boucherie.

Prince essuya son visage. Il haletait, et Dex le
poussa doucement en direction du lavabo. Prince
se calma, se lavant les mains, se recoiffant.

— J'ai failli rater ça, dit Kanazi. J'avais un
billet pour Zurich, et le coup de fil de ma copine
vicomtesse m'a touché juste à temps. (Il observait
Drieux.) Dites, il a de sacrés yeux verts de chat,
votre tueur...

— Zurich ? (Prince l'examinait dans la glace,
apercevant derrière lui Lorrain qui relevait
Drieux.) Pourquoi Zurich ?

— Plein les bottes de la France et de tous les
dégonflés, expliqua sombrement Kanazi.

Dex alla refermer la porte de l'abri. Kanazi
regardait tout autour de lui, ses yeux s'attardant
sur le matériel électronique perfectionné, les béli-
nos, les transmetteurs et le volant de manœuvres
des aériens.

— Mazette... Un véritable P.C. opérationnel !
Drôlement outillés, vous êtes.

— Eric, il faut un toubib, annonça Lorrain
après avoir examiné le blessé.

Prince revint vers le jeune Allemand. Sa mâchoire était brisée, et il grimaçait, tremblant de tous ses membres. Il se baissa, effectua une légère traction du cou, se redressa.

— Appelle Clavier... Mais pas avant une demi-heure. Il tiendra jusque-là.

— Y tiendra, approuva haineusement Kanazi, se penchant vers Drieux qu'on avait assis, adossé au mur. Alors, salope, comme ça on tiraille dans tous les coins, on bute n'importe qui, et on viole les gonzesses ?

Drieux voulut parler, tourna la tête, crachant du sang.

— ... ien fait... pas moi... l'aut'e...

— Le pauvre salaud, il est vraiment inc'oyable, y peut plus prononcer les r, dit Kanazi, apitoyé. Quand il a tiré sur Ingelberg et sur moi, ou avant qu'il s'attaque à Mlle Prince, y pouvait encore. Ce que c'est que d'être imprudent, de pas réfléchir.

— Vous le reconnaissez ? s'informa Dex.

— Moi ? J'ai rien vu de bien clair. C'est pas en tout cas un de ceux qui étaient dans l'américaine, devant le Louvre.

— Il avait une carabine 280 à lunettes avec lui, dit Prince. Elle est dans la voiture.

Il reprit le carnet *Branniff* sur la table, l'ouvrit à l'emplacement où se trouvait le circuit pointé, le montrant du doigt.

— Ça vous rappelle quelque chose tout ça ?

Kanazi lut les noms et ses yeux s'arrondirent.

— Putain... Je comprends, que « ça me rappelle ! » (Il les considéra tour à tour avec d'abord une sorte d'accablement stupéfait dans le regard, ensuite avec une allégresse qui montait de seconde en seconde, qu'ils pouvaient lire dans ses yeux.) Mais c'est tout le côté est du *Cercle de Fer*, ça ! (Il pointait des noms d'un index fébrile sur le dessin.) Dona Emma, quartier général de Mengele, le médecin-ordure de Bergen-Belsen, puis d'Auschwitz. Neu Breslau, Scharlach, Stettin : les rayons de la roue vers le Paraña et la province Isemberg ! Salope ? (Il se penchait vers Drieux.) Dis-moi, salope, la « province Isemberg », tu connais ? De l'autre côté du rio Paraña ? Juste à l'ouest de Marechal-Rondon, une petite commune pourrie de nazis, de...

Les yeux du jeune type reflétaient une véritable horreur. Prince chercha le regard de Dex, regretta brusquement d'avoir autant amoché Drieux, se pencha aussi.

— Parle... Dans cinq minutes, un toubib peut être là !

L'autre essaya de bouger, cracha encore du sang.

— ... me laisser... *ga' nichts wissen... geben Sie... oh, Wasse'* !

— L'émotion le refait parler schleuh, dit Kanazi, avalant en vitesse une de ses pastilles. Filez-lui de la flotte.

Dex lui apporta un verre d'eau, mais boire parut être un supplice pour le jeune homme.

— Michel, fais venir Clavier, se décida Prince. Il n'aura qu'à traverser la rue. Qu'il abandonne ses visites, qu'il fonce !

Kanazi avala deux autres pastilles.

— Vous vous rendez compte ! reprit-il, surexcité. Dans le secteur, nos rapports faisaient même mention d'un maire proche de Marechal-Rondon et qui nous avait proposé de nous faire survoler l'hacienda de Bormann à bord de son Piper personnel ! Un maire pourtant allemand, mais pas nazi.

Prince le dévisagea, incrédule. C'était à son tour d'être stupéfait. Kanazi prenait peut-être trop d'amphétamines.

— Ça été... *aussi loin ?*

— Eh oui, « aussi loin » ! cria Kanazi, explosant. Dix fois, je vous ai dit déjà qu'il y a des années que des tas de gens savent où en trouver des tas d'autres qui n'ont pas été jugés à Nüremberg ! Des tas d'autres avec le C.I.A. autour d'eux qui les protège comme une armure blindée à l'épreuve des 100 métagonnes H ! Qu'est-ce que vous voulez qu'on fasse, nous les pauvres Youpins sans défense, ou tous les mecs qui ont croupi dans les camps de la mort, ceux de la Résistance, ceux des ghettos, les survivants des villes brûlées d'Ukraine ou du Vercors ? Se plaindre à l'O.N.U., à notre député, à la Cour de La Haye ?

Drieux l'écoutait avec effroi, essayant de ramper sur les fesses comme pour lui échapper, repousser la paroi de béton.

— Et il se passerait quoi, si on se plaignait, reprit Kanazi, tout aussi excité soudain que le soir précédent dans l'entrepôt *Stern* de la rue Richer. Un truc sans doute marrant : la mère Meier viendrait en personne nous botter les fesses, en même temps que Kossyguine et Nixon, et on

nous conseillerait de fermer notre grande gueule.
En 71, on achète ou on vend des armes, on
échange un morceau de Sinaï contre une pro-
messe d'intervention éventuelle du *Saratoga* devant
Beyrouth, on refile à Bourguiba un tuyau pré-
cieux pour qu'il frotte un peu les oreilles à Bou-
medienne, on tire des plans sur la comète pour
savoir qui aura le pétrole ou les voies d'accès défi-
nitive sur Akaba, Suez ou Aden, mais le nazi
c'est un truc fini, trop vieux, démonétisé, déva-
lué ! Et surtout s'il est criminel de guerre, repéré,
son cas doit être instruit uniquement entre le quatrième et le cinquième tiroir du bureau 216 du
Pentagone et pas plus haut.

Il était rouge de fureur, son poing s'abattant
furieusement dans l'autre paume.

— Et vous savez, *entre autres*, pourquoi ? En
dehors même des combines entre la haute finance
et les grossiums, ex-pilleurs des Rémbrandt, des
Goya, d'or et de diamants dans toutes les banques
et les musées d'Europe d'où ils ont tiré leur fric.
En dehors de leurs liens avec les services secrets
et les maladroites stratégies de la lutte anticas-
triste. En dehors de tout ça... Un seul gros nazi
arrêté, *publiquement* arrêté, et alors, là, pardon !
Le type se défoulerait, et ils le savent. Il se défoulerait tellement qu'on serait obligé de vider d'Allemagne fédérale la moitié de ministres, des géné-
raux de la Bundeswehr et des hauts fonctionnaires.
Il se défoulerait au point peut-être que les grosses
puantes anciennes combines entre Roosevelt,
Hitler, Staline et toute la smala des salauds qui
ont vendu l'Europe à l'encan seraient livrées au

public ! Et attention, pas n'importe quel public !
Celui des soi-disant « Démocraties Populaires »,
celui des « Camarades de tous les Pays », celui des
Républicains en Amérique. Le public de tous les
pauvres cons dont nous sommes. Et qui pour de
bon alors irait peut-être trouver les Maoïstes
pour faire la révolution un peu partout ! Vous
parlez d'un danger, pour la grande salle grosse
gluante politique russo-américo-germano-franco-
israélienne ! Mettre Bormann par exemple en
vitrine ? Ils se disent que « ça vaut pas le coup » !

Il se calma, cracha dans son mouchoir.

— *Ach !* Il faut plus que je prenne ces pilules.
N'empêche que je suis certain au fond que, par
personne interposée, Nixon, Brandt et les Soviets,
sans compter les Maréchaux du Brésil, viennent
border tous les soirs dans leur lit tous ces bou-
gres d'assassins à présent ventripotents et blanchis
qui vont bientôt crever sans histoire, de leur belle
mort. Pourquoi se compliquer la vie, ils se...

La porte s'ouvrit et un homme jeune aux cheveux coupés en brosse entra. Il vit le blessé, dévisagea Prince, ne posa aucune question. S'agenouil-
lant, il posa sa trousse au sol.

— Je présume que ce n'est pas la peine que
je te dise qu'il faudrait le conduire à l'hôpital,
Eric ?

— On le soignera ici, dit Prince.

— On va essayer. Mais s'il bafouille un peu
quand ses os seront ressoudés, il lui faudra se
plaindre à toi.

— Je prends le risque... Ça m'étonnerait d'ailleurs qu'il se plaigne de sitôt.

Clavier tourna les yeux, fit « hum... » et se
remit au travail. Prince sentait soudain peser sur
lui beaucoup de lassitude. Bien des choses tout à
coup lui paraissaient vaines. Il quitta l'abri bétonné. Sur la terrasse, le soleil faisait resplendir
les cannas et les fleurs rares plantés par Anne.
Il s'accouda, regardant vers le Trocadéro, pour
une fois tout à fait indifférent d'apercevoir ou pas
Bardot. Derrière lui, il entendit des pas. Kanazi,
Dex et Lorrain étaient également sortis. Il songea
à Diane abîmée ; puis à Sandra. *Partir ?*

— Faire quoi ? prononça Lorrain à quelques
mètres sur la gauche.

— Faire quoi ? (C'était Kanazi qui répondait,
et sa voix était empreinte d'amertume.) Difficile
à dire. Ici, déjà ils sont partout. Regardez ces
jeunots d'*Eiden*. J'ai un peu déconné à cause du
« M », mais c'est vrai, ils sont dangereux...

Prince se retourna, s'adossa au parapet. Il
regrettait à présent de n'avoir pas livré carrément
Drieux à la Police Criminelle.

— Regardez le colonel, reprit Kanazi, le prenant à témoin, bien sûr, il est assez gonflé pour
le faire, nous aussi d'ailleurs. Aller là-bas avec
des armes et des idées de vengeance plein les
fouilles ? Bon. Mais ils sont des dizaines de milliers. Certains arrivés même avant la guerre. Tous
armés, embrigadés dans des formations fourmil-
lantes d'espions et d'indics. Oh ! je le connais,
moi, le Santa-Catarina : vous franchissez la frontière de l'Etat en venant de São Paulo, et c'est
un peu comme si vous entriez sans passeport dans
l'Allemagne hitlérienne de 42. Ça a l'air d'une

blague, ici, vu de la Muette, mais c'est pourtant vrai. Et vous pouvez m'en croire : au milieu de cette fourmilière, les quinze ou vingt bonshommes qu'on voudrait coincer sont sacrément à l'abri !

Il surveillait attentivement Prince. Celui-ci restait muet.

— Avant de savoir si on peut échouer, il faut le tenter, fit Dex. Et même en cas d'échec, le remue-ménage provoqué serait utile pour faire connaître certaines choses...

— ... au monde ? dit Prince.

Kanazi parut contrarié. Il prit une pastille, ouvrit la bouche, rempocha finalement la pastille.

— Colonel Prince... C'est fini. Plus de moral ?

— Nous partons toujours, dit Prince.

Le visage de Kanazi se transfigura. Il avala de joie deux ou trois pastilles à la file, alluma une cigarette de papier maïs.

— Bien sûr, ce serait plus rapide de frêter un B 52 et de faire nous-mêmes la police sur le secteur à coups de bombes A.

— C'est *ça*, l'idée, dit Prince. Bombes A non comprises.

— On peut également se passer de B 52 et le remplacer, pour voyager, par un simple Boeing, dit Kanazi.

Un long silence suivit.

— Est-ce de cela dont vous parliez avec la vicomtesse de Prades ce matin ? demanda Dex.

— Elle a déjà pris contact avec des tas de gens dans le monde, dit Kanazi sans répondre directement. Son idée en réalité date de quelque temps déjà. Des commanditaires de New York, de Londres, de Zurich surtout... (Il se frottait le nez.) C'est le coin des banques, vous savez... Enfin tout ce monde-là s'intéresse à ce qu'on pourrait appeler... heu, mettons un voyage d'études.

— Une expédition, n'est-ce pas ? dit Prince, attentif.

— C'est ça, approuva Kanazi, nettement soulagé. C'est comme ça qu'elle l'appelle : l'*Expédition.*

HEUREUSE INITIATIVE D'UNE ASSOCIATION DE DÉPORTÉS

Vingt-sept ans après la fin de la guerre, ses innombrables victimes, rescapés des camps de la mort, membres de la Résistance emprisonnés et torturés, tous ceux ayant souffert de la barbarie nazie, du Vercors à la Dordogne, de Rotterdam à Lvov, de Kiev à Varsovie et à Belgrade, ont vu hélas leurs rangs se clairsemer. Leur tristesse à été d'autant plus vive de constater que l'oubli se faisait, surtout parmi les jeunes.

Une très heureuse initiative de l'une de nos plus efficientes dirigeantes d'association de déportés de la Résistance, Marie-Christine de Chassy, vicomtesse de Saint-Prades, va cependant permettre à une quarantaine de responsables d'associations de déportés et de victimes de guerre, israélites, français et étrangers mais aussi anciens des Résistances française, belge, polonaise, italienne et même allemande, ces dernières représentées par un noyau d'anciens déportés communistes de Bergen-Belsen, de se réunir en vue d'une grande action d'information commune, a s s o c i é e, nous dit-on, à des voyages de documentation et à des conférences.

Le départ du premier de ces voyages, organisé par Mme de Saint-Prades, a eu lieu hier à Orly dans l'enthousiasme et la gaieté. Mme de Saint-Prades nous a déclaré que c'est presque au hasard qu'elle avait choisi comme but de cette avant-première d'information ces merveilleuses régions du sud-ouest brésilien, aux limites du Paraguay et de l'Argentine que les problèmes de la guerre ont peu touché.

« Nous sommes à présent de vieilles gens, a-t-elle ajouté avec un enthousiasme très communicatif. Ce beau circuit que nous effectuerons d'abord par un Boeing affrété en charter, ensuite en car et en train, nous permettra non seulement de rafraîchir la mémoire de certains, afin que jamais les horreurs que nous avons vues puissent se renouveler, mais encore sans doute de faire un magnifique voyage et de passer de joyeuses vacances. »

Les journaux.

L'EXPÉDITION

11

De colline en colline, le vieux bus délabré aux flancs constellés de portraits de la Vierge et d'images naïves violemment coloriées s'était frayé une route à travers l'est montueux de l'Etat de Santa-Catarina et depuis une heure ou deux, ils avançaient dans une vallée plus riante au fond de laquelle coulait le rio Itajehy, comme l'annonçaient tous les panneaux des ponts qu'ils franchissaient.

De part et d'autre de la voie à l'asphalte crevé poussaient des plantes semblables à de la sauge ; des bouquets d'immortelles à l'éclatant bleu de cobalt fleurissaient çà et là, et Prince était étonné par la prolifération de gibier de toute sorte que le car levait. Des cailles s'envolaient, ailes bruissantes, bombes emplumées jaillissant presque sous les roues du véhicule. Ils croisaient des paysans

montés sur des ânes portant de longues perches
où étaient attachés vingt ou trente oiseaux morts.

Le chauffeur du bus, un minuscule petit Brésilien chauve affreusement maigre, dont la tête
arrivait, à l'inquiétude générale, à peine au ras du
pare-brise, envoyait constamment des invectives
joyeuses aux péones qui, pour la plupart cra-
chaient au sol pour toute réponse.

Ils traversèrent des champs de coton, une rangée de bananiers, puis à un détour, un large
panneau, énormes caractères noir sur blanc, arriva
à leur rencontre :

GEBIET DER KOLONIE HANSA-HAMMONIA !
(Neue Verwaltungsgliederung
des Munizips - Blumenau)

— Même quand on me l'affirmait, je le
croyais à peine, dit Mme de Saint-Prades. C'est...
inimaginable. (Elle se retourna vers Kanazi.) Nous
entrons dans le *Cercle de Fer*, n'est-ce pas ?

Le silence s'était fait dans le bus. Pado, jovial
ex-déporté italien, avait cessé de gratter sa mandoline, Waldenstein, délégué de la gauche allemande
était très pâle, et même Bensala et la grosse Sarah
paraissaient accablés.

— Nous entrons dans le Cercle, confirma
Kanazi. J'ai déjà fait le voyage il y a deux ans.
Nous étions deux... (Il montrait les collines des
cannes, les champs, les longues bandes vertes des
plantations de tabac vers l'ouest.) En face, tout
droit, c'est la province de Missiones, en Argentine.

De l'autre côté d'une sorte d'enclave, le Paraguay. Le *Cercle de Fer* s'étend jusque-là.

Ils pénétraient dans un village poussiéreux annoncé par une plaque : Badenfurt. Les maisons étaient blanches, de style étonnant : mi-bavarois, mi-colonial américain. Des gens les regardèrent passer avec curiosité ; il y avait quelques Noirs, mais pas aussi nombreux que dans le reste du Brésil. La plupart des passants étaient blonds, bronzés, éclatants de santé. Mac frôla le bras de Prince.

— Regarde sous la plaque...

A gauche d'une boutique *Delikätessen*, un panonceau indicateur de rue portait sous « rua Dom Pedrito », *Freiwilligen Strasse*. Ils sortirent de la petite agglomération et le car recommença à traîner sa colonne de poussière.

La mandoline égrenait à nouveau ses notes vives et cristallines, mais le député des Pouilles, Padovani, jouait semblait-il moins gaiement. Dex vint s'asseoir auprès de Prince et Mac dut retourner s'installer sans enthousiasme auprès de la grosse Sarah. Derrière eux, la vicomtesse de Saint-Prades secouait sa fine tête ridée et poudrée de Saxe vieilli, paraissant s'opposer à une suggestion de Bensala.

— Nous allons demander aux autres, fit-elle.

Elle se dressa, se retenant à des poignées de cuir pour aller jusqu'à Dex et Prince.

— M. Bensala demande à ce que M. Glasker expédie un premier flash à son agence, mais je ne suis pas d'accord.

— Moi non plus ! lança du fond du car l'intéressé, Glasker, le correspondant de Reuter et d'A.P. (Il secouait le doigt avec énervement). J'ai raconté aux rédacteurs que je partais simplement avec vous en observateur... Ils ne savent même pas qui vous êtes *exactement*. C'est trop tôt.

Kanazi intervint.

— Vous avez donné votre parole que, même si quelque chose d'intéressant se passait, vous ne dévoileriez pas nos buts exacts.

— Raison de plus.

— Je suis d'accord avec M. Glasker, dit Finkel, un long vieillard aux traits distingués. Nous arrivons à peine. Il est inutile d'alerter qui que ce soit.

Finkel était un diamantaire anversois qui avait, disait-on, totalisé les plus nombreux mois de déportation de tous les rescapés belges des camps de la mort. C'était une extraordinaire performance après avoir connu Birkenau, Jaworno et Auschwitz, puis séjourné à Bergen-Belsen et Dachau. Le comité belge des Déportés avait jugé qu'il était le plus apte à reconnaître, le cas échéant, quelques-uns des anciens Lagerführer.

Une discussion animée parvenait des derniers rangs, mais Mme de Saint-Prades fit taire l'agitation.

— Nous avons été d'accord pour que toutes les tendances des associations soient représentées seulement par six délégués. Je m'adresse donc uniquement à ces six délégués. M. Finkel s'oppose déjà à toute initiative prématurée du correspondant qui est avec nous. Monsieur le député, quel est votre avis ?

Le gros et jovial Padovani semblait être un étrange député : blouson de toile, mocassins, les cheveux hirsutes, la soixantaine équivoque d'un vieillard viveur, il secoua la tête.

— Qué... l'initiative ? Per momente, on est jouste touristes.

La mandoline fit entendre un accord sonore. Kazovsky, survivant du ghetto de Varsovie, secoua doucement la main devant ses yeux, en forme d'opposition. Il était aux trois quarts aveugle et il avait fallu l'aider depuis Paris, puis ensuite à Rio et à Curitiba à se mouvoir dans les avions et les cars déjà empruntés.

— Monsieur Waldenstein ? questionna Mme de Saint-Prades.

Dex et Prince tournèrent la tête. L'Allemand les avait intrigués depuis le premier instant. Le teint écarlate, presque obèse, lunettes cerclées d'acier, il avait disait-on connu la torture depuis la volte-face de Horst Wessel devant Wedding, au moment de la montée hitlérienne, mais il fallait le regarder à deux fois pour s'en persuader. Communiste de la première heure, ayant connu tous les camps, s'étant « évadé » pour s'intégrer au « noyau de résistance berlinois » qui avait étonnamment rejoint les Russes derrière l'ex-capitale du Reich, sa personnalité était curieuse. A ce stade, du reste, après quatre jours de conversation dans les avions ou les cars, ils ne savaient toujours pas si Waldenstein demeurait à Berlin-ouest ou est.

— Nous arrivons seulement, *Frau* Saint-Prades,

dit-il d'une voix gutturale, soucieuse. Pas utile manifester... Attendons de voir. *Voir* surtout.

— Très bien. Et vous, monsieur Marcellin ?

L'industriel français se leva, avançant le long du car. De part et d'autre, d'interminables plantations de tabac défilaient. De grosses voitures américaines flambant neuves les doublaient, leurs occupants, pas Brésiliens d'apparence pour un sou, les observant avec une curiosité teintée de méfiance.

— Chère madame, je vous ai accompagné un peu à mon corps défendant, parce que mon association me l'a demandée, dit-il. Votre voyage était m'a-t-on affirmé utile à la cause des victimes de guerre et j'ai accepté. Pour une double raison dont la première est mon désir bien compréhensible de livrer si possible à la justice internationale des gens qui ont massacré la moitié du village dauphinois où je suis né et où j'ai combattu.

Il était arrivé tout près de la vieille dame. Sa figure ridée, éclairée par des yeux d'acier bleu perçants, était tendue, désapprobatrice.

— En bref, je n'ai pas encore bien assimilé certains détails de notre voyage. Je trouve cependant que toute publicité est prématurée.

— Moi, je suis pour l'ami Bensala, grommela la grosse Sarah. Y sait ce qu'il fait... S'il veut que Flasker, Masker, enfin l'Américain câble à ses canards, c'est que ça doit être bien.

Mme de Saint-Prades tourna une seconde la tête vers l'épais Bensala ; il jouait nerveusement avec trois ou quatre des bagues voyantes qui ornaient ses doigts spatulés. Kanazi avala deux pastilles.

— Allez, on va pas commencer à chipoter sur des détails... On entre à peine dans notre mission.

La vieille dame lui sourit sans entrain, passa devant Dex, fit mine de baisser le strapontin proche mais Dex se leva et lui céda sa place, s'asseyant lui-même sur la petite banquette de cuir mobile.

— Tout cela est singulier, n'est-ce pas, dit-elle à mi-voix.

— Je pense que dans une... opération de cette sorte, il fallait vous attendre à quelques difficultés.

Elle se pencha.

— Colonel. Quel est votre avis ?

Prince semblait manquer d'enthousiasme

— Essayez de ne plus m'appeler ainsi, madame.

— Excusez-moi. J'oubliais votre nouveau passeport.

— J'ai eu quelques ennuis ici même au Brésil il y a relativement peu de temps, rappela Prince. Je pense que je dois avoir une fiche de recherches très complète dans tout le territoire.

Aux notes de la mandoline, se mêlèrent des sanglots d'harmonica. Une femme d'une trentaine d'années, assise auprès de Kazovsky, poussa soudain un cri perçant. Elle se leva, toute pâle, et changea de place. La grosse Sarah s'esclaffa.

— Ah... çui-là ! Aveugle mais véritable satyre. (Elle dut se pencher pour parler au groupe qu'ils formaient.) Dans l'avion, il me foutait la main au panier tout le temps ! Parlez d'un zèbre.

— Baisse tes fesses, grommela Kanazi. Tu me bouches la vue. Le pauvre mec, il a été choqué dans le ghetto, faut comprendre...

— C'est un choqué choquant, blagua la grosse, se rasseyant. T'es impayable, Sammy ! Si tous les types « choqués » par les nazis avaient la pince aussi chaude, on pourrait plus circuler, dans le métro.

Mme de Saint-Prades avait rougi, leva les yeux au ciel.

— ... je ne sais pas si je ne dois pas regretter tout cela à présent, dit-elle à voix basse. Tout avait commencé dans un si grand enthousiasme...

— Depuis Paris, nous avons fait un voyage très fatigant, fit Dex. Tout le monde est nerveux.

Le petit chauffeur nabot se tourna soudain vers eux, criant quelque chose en portugais, ne prenant même pas la peine de retirer le cigare machouillé qui pendait à ses lèvres.

— Que dit-il ? s'inquiéta Mme de Saint-Prades.

Kanazi semblait être le seul à comprendre le langage du petit Brésilien.

— Qu'il va être midi, et qu'il compte s'arrêter comme prévu à Hammonia, madame. Paraît qu'on arrive.

Elle se dressa, rejoignant le chauffeur. Un instant, Prince observa le tailleur gris très strict qui la moulait, misa sur *Givenchy*. Il admirait beaucoup la vieille dame. Elle semblait avoir eu du mal à dénicher les ultimes commanditaires pour le voyage, avait apparemment payé une bonne moitié des passages de son propre argent. Son enthousiasme avait été à toute épreuve. Tout au moins jusqu'à ces dernières heures... Elle paraissait désolée de voir que ses « chers délégués de la justice », comme elle les appelait, n'étaient pas tous de petits saints respectables et bien pensants.

— On a bonne mine, dit Mac parlant bas. Si on m'avait dit il y a huit jours que je ferais un voyage organisé sous la direction d'une espèce de bonne sœur... Avec le coup des « Harmoniques pour le Quai », Michel y a échappé. Il a dû sentir le vent... Pas fou.

Prince esquissa un sourire à double sens, tourna les yeux : les plantations de tabac avaient fait place à dc la vigne et à d'interminables enfilades de petits arbustes semblables à du houx et dont on lui avait dit qu'il s'agissait de maté. Des filles blondes, à nattes de Gretchen ou cheveux au vent, travaillaient dans les allées régulières, non loin de longues Mercédès. Penchées largement sans souci des minijupes levées bien haut, quelques-unes se retournaient leur adressant des regards hostiles.

— A bord de ce car-là, pour elles on doit être de vraies cloches, fit Mac. Pourquoi ce bahut d'ailleurs ? Au dépôt de Curitiba, il y avait des Ford et des Chausson tout neufs.

— Aucun n'était libre, paraît-il, dit Prince.

Il s'adossa à la banquette, les yeux fermés. Etrange voyage... Trente-deux hommes et sept femmes, paraît-il venus de tous les coins d'Europe, Grèce des colonels et pays « démocratiques » compris. A Orly, le groupe avait surpris, inquiété.

Pas l'un d'entre eux qui n'ait échappé à une fouille complète.

Il se souvint tout à coup des aveux du petit tueur intercepté, tira un papier de son portefeuille... Ça pouvait être intéressant. D'autant plus que le père était, selon les déclarations de Drieux, l'une des personnalités « importantes » du *Cercle de Fer*.

Kanazi qui était allé rejoindre Mme de Saint-Prades auprès du chauffeur revenait la figure tendue et Prince rempocha le papier.

— Il est drôle, ce petit mec brésilien. Y nous a demandé deux fois si on tenait vraiment à bouffer à Hammonia. Lui, « il fait la pause », c'est obligatoire ! Mais ça semble l'étonner qu'on veuille casser la graine dans le bled. Hey ! Colo... enfin m'sieur Ricker, faites pas cette tête.

Prince dut faire un effort pour se souvenir qu'il était « Ricker ».

— Moi, j'vous dis que ce voyage-là, il va être riche en enseignements comme on dit, reprit Kanazi. Y avait qu'à voir les commentaires aigres de Salomon Wiesel dans la Presse quand on est partis ! Ça trompe jamais, les aigreurs de Wiesel. Quand il broie du noir c'est qu'il a peur que quelqu'un d'autre pique subrepticement un nazi à sa place et qu'il ait pas de royalties pour le prochain bouquin ou la série d'articles que son Agence va l'obliger à pondre. C'est pas comme l'autre. (Il cherchait dans sa mémoire.) Comment qu'il s'appelle, déjà, l'autre, celui de Vienne ? Ma foi, on s'en fout... Wiesel, lui, en tout cas il a probablement jamais mis les pieds en Amérique du Sud ! Parlez d'un « chasseur de nazis » champion ! A l'entendre il a déjà massacré une demi-division de SS recherchés et si on compte bien pourtant on trouve deux mecs ou trois, arrêtés par les autres encore, en vingt ans !

Le car ralentissait. Ils entraient dans une petite cité pimpante, rues plantées d'arbres jaunis, petites boutiques assez modernes et trottoirs de bois comme dans l'ouest américain. Prince remarqua le nombre étonnant de magasins fermés ou qui fermaient... Les gens se retournaient sur le passage du car, plaçant plus vite semblait-il leurs contre-vents de bois blanc. A l'angle de deux rues, ils purent lire : *Reichsführer Strasse.*

— C'est pas banal, ça, hein, chuchota Kanazi plus pâle. Bon. (Il levait la tête.) Il stoppe ce con, ou pas ? On va ressortir du bled, si ça continue.

Leur nabot-chauffeur roulait à toute petite vitesse, regardant droit devant lui comme si quelque chose très loin le fascinait. Kanazi l'interpella furieusement dans une langue étrange parsemée de o et de a gutturaux entremêlés de nettes imprécations yiddish. Le chauffeur parut néanmoins comprendre ce langage et finit par s'arrêter.

Kanazi alla ouvrir la porte. Le silence s'était fait dans le car. Tout le monde regardait par les glaces : ils se trouvaient sur une petite place plantée de poivriers touffus dont les branches tombaient jusqu'au sol. Deux vieux se tenaient sur un banc de pierre, fumant de longues pipes recourbées sculptées à la tyrolienne. Plus loin, une grosse Noire lavait du linge dans une fontaine. A part cela, la place semblait avoir été complètement désertée.

Kanazi descendit suivi de Prince. Mac et Dex sautèrent également à terre, une demi-douzaine d'autres délégués descendant par l'avant, les autres choisissant l'arrière. Les deux vieux tiraient toujours flegmatiquement sur leur pipe, les observant avec curiosité. Prince fit quelques pas, regardant autour de lui. C'était à peine croyable : un village de Basse-Saxe, ou du Würtemberg. N'eût été la chaleur, la lavandière noire, les poivriers et les larges feuilles tombantes de bananier jaunies dans un jardin public pelé proche, il était impensable de se croire au Brésil.

— C'est allemand paraît-il depuis avant la guerre de 14, dit Mac auprès de lui. Et même avant, du temps de Bismarck, ils ont commencé à s'installer. Tu parles... Quand les nazis évacués par *Odessa* sont arrivés avec leurs milliards, fauchés ou non, ça a dû être bon à prendre pour l'expansion du coin.

Une discussion véhémente semblait s'instaurer autour du chauffeur.

— Y dit qu'y sait pas où qu'on va bouffer ! clamait Bensala agitant furieusement ses doigts bagués. L'accord qu'on a fait avec l'agence de Curitiba prévoyait tout, non ! Et on leur a versé du fric.

— *Ma qué !* se désola le petit chauffeur, ouvrant les bras. Et vous la vue... comme moi ! *closado !* (Il faisait mine de tourner une clé.) *Ristorante...*

Prince se tourna dans la direction que le type

désignait. Au-dessous d'une double plaque indiquant « *Braco Ristorante-Gasthaus Braco* », tout paraissait effectivement fermé, désert.

Il avança jusqu'à la porte à petits carreaux, manœuvra en vain le bec de canne qui résistait. En se penchant, il aperçut sans trop d'étonnement une demi-douzaine de tables occupées dans la salle. Aucun des clients ne leva la tête en dépit de ses appels.

— C'est marrant, non, dit Mac.

— Marrant, approuva Prince.

D'un coup d'épaules, il fit céder le mince crochet qui maintenait la porte, pénétra dans un hall aux odeurs d'encaustique en même temps qu'une grosse vieille dame échevelée accourait, la mine indignée.

— *Closado, Senhores !*

— *Sagen Sie eher geschloss, madam*, dit Prince.

— Vraiment fermé, confirma-t-elle en allemand, sans s'émouvoir. Je regrette.

Un jeune homme à l'air sournois arrivait, se frottant interminablement les mains, cauteleux, inquiet.

— *Senhores ?*

— Monsieur parle allemand, lança la femme. Il a compris.

— Très bien compris, dit Prince sèchement. Mais l'agence de voyage avec qui nous avons des accords avait retenu nos places, ici.

— Sans doute a-t-il dû y avoir une erreur de transmission, *mein Herr*, dit le jeune homme. Nous n'avons reçu ni argent ni réservations. De toute façon, nos provisions sont très insuffisantes pour...

(Il regardait au-dehors en direction du groupe.) pour tous ces voyageurs. Croyez que nous regrettons.

Prince hésita, sentit qu'il n'y aurait pas grand-chose à faire. Le jeune type regardait son crochet brisé d'un air navré. Prince le ramassa et le lui fourra dans la main. Il fit demi-tour, rejoignant le groupe suivi de Mac.

— Impossible. Ou alors on leur casse les vitres, et c'est Nanterre.

— Mme Rachid et M. Bensala sont partis voir si une épicerie était ouverte, dit Mme de Saint-Prades. Nous espérons...

— Je pense qu'il n'y a pas beaucoup d'espoir, dit Prince. Les commerçants semblent avoir reçu des consignes.

Bensala et la grosse Sarah revenaient, écarlates, l'air furieux.

— Les enfoirés ! lança le gros homme, encore un peu on se faisait traiter de sales Youpins. Sont fermés, sont fermés, qu'y répètent ! Rien, ils veulent rien lâcher. Pas même de l'eau minérale. (Il regardait autour de lui.) Et Basduc, où il est ?

— Le chauffeur est allé chercher à manger pour lui, dit Mme de Saint-Prades, mal à l'aise.

Ils virent en effet le maigrelet Brésilien revenir avec deux sandwiches, l'air très satisfait de lui.

— On les mets, hey, corniaud ! le prévint Kanazi. Prends ton manche et dévisse. (Il parla de nouveau avec ses o et ses a entremêlés de yiddish et le chauffeur répondit d'un air ennuyé, la bouche pleine, expliquant apparemment qu'il lui fallait le temps de déjeuner.) Je m'en vais te le fourrer quelque part, moi, ton sandwich ! éclata Kanazi, se jetant sur lui.

Dex s'interposa.

— Du calme... Que raconte-t-il ?

— D'abord qu'il faut qu'il bouffe, ensuite qu'il lui reste au plus deux ou trois litres d'essence et que ce n'est pas avec ça qu'on atteindra Neu Nürnberg. C'est à vingt kilomètres d'ici.

— Nuremberg, hein ? lâcha la grosse Sarah, écœurée. Où c'est qu'on a mis les pieds, ouille ou ouille !

— La station-service est fermée aussi, acheva Kanazi.

Le silence retomba, d'une densité particulière, exhalant des effluves menaçants. Là-bas, sous les poivriers chevelus, les deux vieux continuaient à fumer paisiblement leur pipe et la Négresse à battre son linge. Deux Volkswagen passèrent à toute vitesse. Elles étaient chargées de jeunes gens, cinq ou six garçons et trois filles aux faciès germaniques, et tous se retournèrent, visages durs et méprisants.

— Hey ! peut-être leurs fils et leurs filles, et nous on a l'air de vrais cloches, dit Bensala. (Il cracha à terre.) Les aiglons et les trimards d'Israël, ça ressemble à...

— Fermez ça, dit Prince. Sammy, dites au chauffeur de remonter en vitesse au volant. Nous allons à la station-service. S'il ne se dépêche pas, je lui rentre son sandwich dans l'arrière-gorge, ajoutez !

— Ecoutez, mes enfants, intervint Mme de

Saint-Prades d'un air angoissé, il serait ridicule de nous faire remarquer dès notre arrivée.

Prince lui fit face, essayant de rester très calme.

— Je crois que vous avez *mal* compris la situation, madame, dit-il doucement. Nous avons quelques ennuis justement parce que nous avons été *déjà* remarqués. La Presse, en Europe, a malgré tout parlé du voyage...

— Nous ne sommes que des touristes, jusqu'à preuve du contraire !

— A Paris et à Londres les journaux ont parlé soit de « délégation de déportés » soit de « mission d'information », rappela Dex. Ça peut suffire pour inquiéter les gens d'ici.

Kanazi réfléchissait, la mine basse, jeta un regard rancunier sur Bensala et la grosse Sarah.

— Surtout s'ils voient la bobine de certains, fit-il à voix basse de façon à n'être entendu que de Prince et de Mac qui étaient les plus proches. Vous parlez d'une équipe... S'il y a dans le coin des retraités du four crématoire, ils vont aussi sec rallumer leurs feux !

Mme de Saint-Prades se retourna, horrifiée.

— Je vous défends de parler ainsi ! C'est..., c'est indigne.

— Excuscz-moi, madame, dit Kanazi, baissant la tête. On est nerveux... Et ça cafouille. (Il se massa la nuque, ennuyé.) Et j'oublie pas quand même que j'ai failli y passer aussi, moi, par les pelles plates. J'en suis, hey... (Il n'acheva pas.)

Prince et Mac attendirent que la vieille dame soit montée, grimpant en arrière-garde dans le car.

Le chauffeur s'étouffait avec les dernières bouchées du second sandwich. Il vérifia que tout son monde était là, puis démarra sans entrain. Les deux vieux sous les poivriers tirèrent leur pipe de leur bouche, se penchant pour voir s'ébranler le car.

Pour aller à la station il leur fallut rebrousser chemin et repasser le long des rues désertes. Des gens repoussaient leurs rideaux pour les voir passer. A l'angle de deux rues, ils virent un petit car vert surmonté d'un phare tournoyant qui n'était pas là à leur premier passage : deux agents de police en chemise sombre et casquette plate, colt très bas sur la hanche, comme au Texas, se tenaient solidement campés sur le trottoir, jambes écartées, les regardant avancer. Le premier était un Noir, l'autre blond comme les blés.

— Un vrai SS, le second, bon Dieu, dit Kanazi, exagérément pâle soudain. La Municipalité doit être à eux, gros comme le bras ! Pas étonnant.

Le bus stoppait devant une station *Esso* effectivement fermée. Les volucompteurs n'étaient flanqués d'aucun tuyau, et une dépanneuse dans la cour était la seule manifestation d'une présence humaine aux alentours. Prince repéra les deux flics : ils s'étaient tournés, attendaient.

— Reste à l'intérieur, Eric, conseilla **Mac**. Pense au train-prison de cet été. Bouge pas...

Il descendit derrière Dex et le chauffeur. Kanazi suivit, sourcils froncés, surveillant lui aussi les deux flics. Il avisa la sonnerie, écrasa le bouton, et ils perçurent un carillon aigrelet très loin.

Aucun bruit ne lui succéda. Les deux agents abandonnaient leur car, s'approchaient, mains au dos. Ils marchaient bizarrement, avec régularité comme pour une relève de la Garde. Kanazi garda son doigt fixé sur l'interrupteur d'appel. Dex leva les yeux. Au-dessus de la porte une plaque scintillait : « Benito Werner. Mec. »

Un type d'une quarantaine d'années finit par apparaître, grimaçant comme un gorille dérangé.

— *Nao tem !*

— Y a pas quoi, l'ami ? grogna Kanazi. On a encore pas ouvert la bouche. Et si on était là pour te remettre la rose de l'amabilité. Tu dirais pas, avant de savoir, « y en a pas ! ».

Les deux flics arrivaient à leur hauteur. Tous deux avaient les deux mains aux hanches, à la limite des reins, une attitude également de policier texan. Le garagiste leur parla avec véhémence et le policier blond questionna en anglais :

— L'artisan-mécanicien se repose. Voulez-vous de l'essence pour rester ou pour partir ?

Kanazi arrondit les yeux, se tourna vers Dex ébahi.

— Hey ! Vous les entendez... « L'artisan, y se repose, mais si on les met, à la rigueur, il condescend à... »

— Pour rester, nous n'aurions besoin que de *très peu* d'essence, coupa Dex, s'adressant au flic blond. Il nous en faut cent litres.

— *Documente*, fit brusquement le Noir, tendant la main.

L'autre gardait les mains aux hanches, imperturbable. Dex sortit son passeport, et le flic nota quelque chose sur un carnet. Kanazi vit son regard se poser sur lui.

— *Documente* aussi, pas vrai ? fit-il sortant également son passeport.

Le policier noir nota les identités de tous ceux qui étaient descendus. Puis il alla longer le car, caressant d'un doigt pensif la poussière qui masquait les images coloriées naïves. Il gardait les yeux levés, dévisageant tout le monde. Sarah lui fit une affreuse grimace mais ça ne parut pas l'émouvoir. Il revint d'un pas nonchalant vers eux. Dex serra un poing, observant Mac : en d'autres circonstances ils auraient déjà foncé.

— Un négro nazi, chuchota Kanazi, entre ses dents. Parlez...

— *Tourisme*, hein ? dit le blond après un interminable silence.

— Tourisme, répondit Mac. Et pour ça il faut de l'essence.

— Neu Nürnberg ? insista le blond.

Dex se demanda où ils voulaient en venir. Ça ressemblait à un épisode de la guerre des nerfs.

— Nuremberg, confirma-t-il. Nous avons des passeports en règle.

Les deux flics tournèrent les talons sans prononcer un mot. Ils avaient dû faire un signe imperceptible au garagiste ; entre-temps celui-ci était rentré, revenait avec des tuyaux qu'il fixait précipitamment au volucompteur. Il fit le plein, attendit qu'on le paye et rendit la monnaie. Après quoi, il repoussa toutes les portes, soulevant le rideau de fer. Une nuée de gamins, café au lait ou blonds, apparut alors comme par enchantement, les observant, tournoyant autour du car.

Sur leur passage, alors qu'ils repartaient, la petite ville paraissait renaître à la vie et les magasins rouvraient. Prince poussa un long sifflement pessimiste. Et ils n'étaient pas, loin s'en fallait, arrivés au cœur du *Cercle de Fer*, le rio Paraña était encore à des centaines de kilomètres.

— Je pense que nous allons avoir de terribles difficultés, madame, dit-il se penchant vers la vicomtesse de Saint-Prades. Ici ce n'est sans doute qu'un avant-goût.

12

Dès l'entrée dans Neu Nürnberg, ils comprirent que ça serait la même chose qu'à Hammonia : les magasins avaient leurs volets clos, les rues étaient désertes comme si le car transportait les bacilles du choléra. Kanazi ne semblait plus avoir le cœur à la gouaille et même Bensala, découragé, regardait défiler les boutiques fermées, partagé entre l'inquiétude et l'accablement.

Le petit chauffeur se tourna, interpellant Kanazi.

— J'sais plus, grommela celui-ci, quêtant l'avis de Mme de Saint-Prades. Il demande si on s'arrête ? Tel que ça se présente, j'ai même plus les crocs, moi.

Le car roulait à vitesse lente et ils pouvaient lire les plaques : « Himmlerstrasse, Reichshelde Allee, Unnennbarübergabe Damm. »

— La dernière, dit Mac. Pas mal. Tu as compris ?

Prince inclina la tête.

— A peu près... Chaussée de... l'injuste, ou de l'inqualifiable reddition.

— Sacrément revanchards, hein ?

— Votre avis ? demanda Mme de Saint-Prades. Je... commence à être très inquiète. Beaucoup d'entre nous sont fatigués et ont faim.

— Où devions-nous passer la nuit ?

— Attendez donc... (Elle tirait un papier de son sac, le parcourait.) Une petite cité nommée Doña Emma. Je pense que ça doit être encore à une soixantaine de kilomètres. (Elle remit le papier en place, soudain véhémente.) Et en ce qui concerne l'hôtel qui nous est réservé, j'étais présente quand la *Paranagua Viaja* a retenu les chambres par téléphone. Ils ont certifié devant moi que six cents nouveaux cruzeiros suivaient par télégramme.

— Allons jusqu'à Doña Emma, conseilla Prince. Je pense que c'est préférable.

— C'est mon avis aussi, dit Kanazi qui avait suivi la discussion. Tant pis, on se serrera la ceinture jusque-là.

Il quêta une confirmation dans le regard de Mme de Saint-Prades puis partit invectiver le chauffeur mi en yiddish, mi en petit nègre franco-hispano-portugais.

Le car accrut son allure presque aussitôt, et ils se remirent à rouler entre les champs de coton, les bananes et le maté. Ils traversèrent une autre petite ville à moitié endormie dans la chaleur, entrant une demi-heure plus tard dans un bourg important précédé de la plaque : *Neu Bremen.*

— Bon Dieu ! tout est ouvert ici ! s'exclama Bensala-Sammy, dis à Basduc qu'il stoppe, j'ai la dent, moi !

A un carrefour, un half-track de police occupé par une demi-douzaine de policiers en armes stationnait. Près du véhicule, des civils arrêtaient tout le monde, réclamant les papiers des passants.

— Pas le moment, lâcha Kanazi changeant d'avis, on bouffera plus tard... Les civils, vous savez qui c'est ?

Prince l'observait depuis un moment : il semblait très émotif pour un ancien terroriste.

— *Dops*, n'est-ce pas ? dit-il doucement.

— Les plus gros salauds de la terre, confirma Kanazi d'un air sombre. Gestapo style 71. Moi aussi j'ai eu affaire à eux, il y a deux ans. (Il se retourna sur le half-track). C'est même drôle, ce contrôle. Dans le Santa-Catarina, il n'y a pourtant pas de guérilleros...

— Comme par hasard, n'est-ce pas ? dit le correspondant de Reuter derrière eux. Avouez que c'est étrange. Le seul Etat du Brésil sans troubles dus à la gauche est un Etat plus ou moins aux mains des Allemands.

Prince se retourna sur le journaliste. Il avait raison, c'était étrange... Sans doute était-ce l'une des explications, une de plus, de l'attitude conciliante, sinon complice du C.I.A. américain.

Ils quittaient Neu Bremen, roulaient de nouveau dans une campagne verdoyante. Au-dessus des arcs de triomphe de bois annonçant les fazendas, les noms cette fois étaient devenus germaniques dans leur quasi-totalité. Sur la route, ils croisèrent deux autres half-tracks bourrés d'agents et de civils de la police politique. Tous se retournaient avec méfiance vers le car bariolé.

— Voyez pas qu'ils aient un joli petit Auschwitz de derrière les fagots dans le secteur ? maugréa la grosse Sarah, mais avec une réelle inquiétude dans le ton. C'est nous, les redoutables assoiffés de Justice, qui aurions bonne mine.

— Tu pensais pas courir le risque d'y retourner un jour, ma grosse, hein ? plaisanta Kanazi.

— Parle pour toi, hey, cloche ! J'y ai jamais été, moi, pourrir dans les camps comme une larve. A l'époque, je faisais les quatre cents coups à la grenade et au Thompson ! J'étais quelqu'un, moi, avant que d'être cochonne et tout à fait foutue.

Du fond du car, Waldenstein, devenu apoplectique, protesta de sa voix gutturale et sèche.

— Les « larves qui pourrissaient dans les camps », comme vous dites, madame, gardaient une dignité que je ne retrouve pas ici.

Sarah se retourna, la figure tendue et mauvaise.

— *Herr* Waldenstein, toutes mes excuses, fit-elle, appuyant avec mépris sur le « *Herr* ». Vous êtes plus grand expert que moi. (Elle se rassit, ajoutant, plus bas et aigrement :) J'en ai même connu des « experts » à grande gueule qu'avaient subi les camps et en revenaient gros comme des vaches en planquant soigneusement leur brassard de Sonderführer !

— En voilà assez ! s'interposa Mme de Saint-Prades. Madame Rachid, je vous prie de vous taire !

— J'savais pas que la grosse avait un nom arabe, blagua Kanazi. Tu la fous mal, parole, pour une ancienne balanceuse de grenades du *Stern*.

— Je m'en vais te...

La grosse femme écumait, se levant et Bensala la retint par sa jupe, conciliant, l'air plein de dégoût. Prince en avait assez, et Dex le comprit à la crispation de ses mâchoires.

— Qu'est-ce que tu as cru en acceptant de venir ? fit-il, bas et vite. Qu'ils nous planqueraient pour nous faciliter ce que nous aurions à faire ?

— Ils sont trop voyants, dit Prince comme s'il acquiesçait.

Il était finalement près de dix-huit heures lorsqu'ils lurent « Doña Emma » sur une plaque. En dépit de sa vétusté, il semblait incroyable que le car ait pu mettre aussi longtemps pour parcourir aussi peu de chemin. Mme de Saint-Prades avait pu se tromper au sujet de la distance.

Cette fois, le chauffeur ne se fit pas tirer l'oreille, les arrêtant directement devant un bâtiment assez moderne de quatre étages sur la façade duquel flamboyait déjà au néon, en dépit du soleil encore haut : « *Bayerischer Hof* ». Kanazi jeta un long coup d'œil bizarre en direction de Prince, désignant l'hôtel. Prince ne chercha pas à comprendre, sauta au sol. Mme de Saint-Prades entrait déjà dans le hall et ils la suivirent. De l'autre côté d'une petite réception flanquée d'un standard et d'un tableau à clefs, une dame blonde épanouie se leva, l'air interrogateur.

— Nous sommes annoncés par l'agence de

voyages *Paranagua*, dit Mme de Saint-Prades, l'air anxieux. Dix-sept chambres. Je...

— *Paranagua ?* répéta la blonde ouvrant de grands yeux. Je pense qu'il s'agit d'une erreur.

Prince sentit que ça allait recommencer, n'était plus d'humeur cette fois à le supporter, comprenant de surcroît que la bonne Mme de Saint-Prades n'était pas de taille à protester.

— *Ich könne deutsch sprechen, madam !* fit-il si durement que la blonde qui décrochait un téléphone se retourna effarée. *Wir haben siebzehn Zimmer vorbehalten !* Et nous voulons ces chambres... La plupart d'entre nous sont très fatigués.

— *Gut, gut, gut !* fit la blonde levant une main, pas énervement, monsieur. Français, n'est-ce pas ? (Elle se fendit d'un très large et aimable sourire.) Je aimer folie Paris... Mon père était Paris. *Besetzung...* occupation.

— On s'en fout, dit Kanazi en français. On veut les clefs des carrées. On les a payées, les carrées.

Un homme vêtu de noir s'approcha. Il était massif, glabre, et ses yeux scintillaient derrière des lunettes sans monture d'un mépris qu'il essayait de dissimuler sous un sourire glacé.

— Réservations peut-être non arrivées, *meine Herren*. Brésil pas Europe, *nein ?* Communications... dures, difficultés toujours. Et téléphone ? *Ach !* téléphone...

— Peut-être, on va donner cinq chambres, dit la fille, feuilletant son registre.

Ils parlementèrent en vain durant un quart d'heure, apprenant en outre que les deux autres hôtels du pays étaient occupés par des « ingénieurs nouvellement arrivés ». Prince finit par conseiller à Mme de Saint-Prades d'accepter. Ils durent monter eux-mêmes leurs bagages, le personnel paraissant avoir émigré peu après leur arrivée.

Dex, Prince et Mac échouèrent dans une grande pièce à l'odeur de moisi, parsemée de matelas, la partageant avec Kanazi, Waldenstein, l'industriel Marcellin et l'aveugle obsédé sexuel.

— C'est ça vraiment, qui va nous rappeler la caserne ! lança joyeusement Kanazi.

— Ou le camp de concentration, corrigea avec gravité Marcellin.

A une ou deux reprises, il avait tenté d'engager le dialogue avec Prince, et il profita de ce que celui-ci examinait par la fenêtre les différentes enseignes des magasins, la plupart en gothique, pour s'approcher.

— Je présume que vous êtes officier, monsieur Ricker ?

Prince lui lança un regard scrutateur, secoua la tête.

— Pas du tout. Je dirige des chasses en Sologne.

— Cavalier alors ? (Le sourire de l'industriel était teinté de scepticisme.) C'est ce qui m'avait trompé. Je suis également chasseur. Je possède même une petite meute, du côté de Montargis. (Il tendait des cigarettes.) Pensez-vous que nous arriverons à nos buts ?

— Et quels sont ces buts à votre avis ?

Marcellin avança son *Dupont*. Prince ne s'y trompa pas. Or et massif, fabrication spéciale.

— Eh bien... (Il allumait sa propre cigarette.) Disons, nous informer avant d'informer les autres. Prendre des renseignements, tirer des photos au maximum, accumuler de la documentation, des noms. (Le briquet sautait dans sa paume.) Bien sûr, lorsqu'on m'en a parlé, j'ai été incrédule, mon cher. A la réflexion, j'ai pensé que l'initiative de l'aimable vieille dame névrosée d'équité qu'est Mme de Saint-Prades n'était pas si idiote. Regardez ce qui s'est passé aujourd'hui ? Nous sommes nombreux, tous respectables et munis de passeports, avec des liens éventuels rapides avec nos ambassades, et cependant...

— Vous pensez à un homme seul, ou bien à deux qui tenteraient la même chose, n'est-ce pas ?

— Je suis de plus en plus certain que pour des isolés, les difficultés et le danger doivent être... sévères, mon cher. Si sévères que je me demande jusqu'à quel point on peut sauver sa peau sur la route semée d'embûches qui va jusqu'au rio Paraña.

Il sourit et fit demi-tour, laissant Prince assez songeur. Tout n'était pas inexact dans ce qu'avait dit le vieil homme. Kanazi s'approchait, très mystérieux.

— Savez-vous où nous sommes ici ?

— Oui. Doña Emma.

— C'est le début de la *Zone Noire*, colo... pardon, monsieur Ricker. On dit que Mengele et Bormann ont leurs quartiers d'été ici, dans la villa

d'un toubib. On dit que c'est dans le sous-sol de
cette villa que se trouve une sorte d'hôpital de
campagne. Vous vous dites que ça pue le roman
à quatre sous, n'est-ce pas ?

— Je ne me dis pas tout à fait cela, Sammy.
Continuez.

Dex s'approchait. Quelqu'un frappa à la porte,
mais Kanazi ne tourna pas la tête, achevant de
sa voix sèche, énigmatique :

— Le grand P.C. opérationnel où ils prennent
tous leurs ordres, où ils reçoivent les envoyés du
Nord — vous voyez de quel « Nord » je veux
parler ? — se trouve loin de l'autre côté du Rio,
dans une fazenda de plusieurs milliers d'hectares
gardée par un détachement de l'armée paraguayenne, mais dans cette baraque d'ici, les rapports disent qu'il y a aussi de sacrés va-et-vient.

— Vous en savez des choses, monsieur Kanazi,
fit Dex.

— On a monté des sandwiches mais ils sont
immangeables, signala Mac, leur apportant des
tranches gluantes et jaunes. Ouvrez ça, un peu
pour voir ! On dirait du chou compressé trempé
dans une mayonnaise tournée depuis le départ du
grand Charles.

— Ma parole, ils trouvent qu'ils ont pas fait
assez de victimes, dans le temps ? lâcha avec
dégoût Kanazi, humant la chose. Vous pariez
qu'ils veulent nous empoisonner ?

Kazovsky arrivait à petits pas, d'énormes lunettes noires lui masquant les yeux, tâtant le sol
du bout d'une canne, son sandwich dégoulinant de
pâtée jaune à la main. Il se cognait à tout le

monde, frôlait qui il avait heurté, lâchait « *Entschuldigung* » avec agressivité, continuait.

— Il me débecte, moi, le Polak, chuchota Kanazi. Je trouve même bizarre qu'un aveugle ait fait le voyage, si vous voyez ce que je veux dire. En plus, il se frotte partout, se retient à ce qu'il peut... Il serait en plus un peu pédé que ça ne m'étonnerait pas.

Prince pensait à ce P.C. opérationnel dont parlait Kanazi. Lentement, il en prit conscience : ils étaient à présent au cœur du *Cercle de Fer*. L'Europe parlait de cette région depuis la fin de la dernière guerre, comme le paradis du nazisme retrouvé. Un paradis doté selon les augures d'un véritable Exécutif politique en liaison avec bien des gens.

— *Cercle de Fer*, murmura-t-il comme pour lui-même.

— Vous disiez ?

Les lumières des enseignes s'allumaient au-dehors. La nuit était tombée.

— Pourquoi n'irait-on pas faire un tour ? proposa Mac. On n'est quand même pas prisonniers ?

Prince fit un pas en direction du balcon. L'ambiance de la petite cité était étrange, un peu inquiétante ; les bruits leur parvenaient feutrés, atténués. Il y avait peu de circulation ; une voiture isolée qui, de temps à autre, tournait sur une place, à une intersection. Quelque part, un accordéon jouait des marches folkloriques autrichiennes. Il tressaillit, se pencha.

— Vous entendez ? dit Kanazi d'une voix altérée. On dirait un film... ou alors en vrai, dans le temps !

Dans le silence quasi total, un bruit de bottes se rapprochait. Sec, rythmé, saccadé, implacable.

— Broom, broom, broom, broom, broom... (Kanazi s'arrêta net.) Parole, ils me foutent les choquottes !

A l'angle de deux rues, une patrouille de police arrivait. Prince fut presque étonné de voir les uniformes brésiliens. Les agents portaient des bottes noires ; très lourdes.

— Vous allez me croire si vous voulez, dit Kanazi, j'ai jamais osé le dire... J'étais là en 69, avec un copain. Nous aussi on avait des passeports en règle. On était venus avec des tas de projets, eh bien on n'a pas pu tenir ! Tout à l'heure, M. McLiffeal disait qu'on était pas prisonniers... (L'aveugle se rapprochait, se cognant au mur, lâchant « *Entschuldigung* », et Kanazi s'interrompit.) Il va foutre de sa merde à la mayonnaise partout, cette cloche.

Il avala deux pilules ; ses mains tremblaient.

— On avait peur, mon copain et moi... Lui c'était pourtant un ancien dur de l'*Irgoun*, et moi j'en ai pas mal vu. Un jour, l'avant-dernier, en allant vers le Rio, on a vu des cadavres qui descendaient au fil de l'eau. Des tas, gonflés, couverts de saloperie... Des cadavres de guérilleros urbains, je crois que c'étaient. Deux mecs en noir nous observaient depuis un moment sans qu'on s'en aperçoive, puis mon copain a tourné la tête et les a vus. Ils avaient des Mausers dirigés vers le Rio, pas sur nous... Ils étaient jeunes, trop jeunes pour avoir... (Il se frotta la figure d'une main.)... de Dieu ! rien que d'y penser, j'ai honte. L'un d'eux a crié « *Juden, heraus !* » et mon copain, le dur de l'*Irgoun*, il... c'est terrible à dire, il a pris les jambes à son cou et moi je l'ai suivi. Il avait suffi que les deux mecs en noir gueulent « *Juifs ! Foutez le camp* » pour qu'on parte. J'sais même pas s'ils avaient bien vu qu'on l'était... Je sais qu'une chose, c'est qu'on a fait fissa, et pas le détail. Le vélo, la voiture, le car, le train et le surlendemain on était à Orly avec leur cri encore dans les oreilles.

Il était couvert de sueur, plongea sa main dans une poche pour sortir une pincée de pastilles. Prince bloqua sec son poignet.

— Arrêtez de prendre ces saletés...

— C'est un foutu pays, dit Kanazi. C'est pour ça que j'ai pas voulu revenir seul.

— Cette histoire de P.C. opérationnel ? insista Prince.

Kanazi soudain hésitait. Il détourna les yeux.

— On en parlera plus tard... Pour le moment je suis crevé.

Prince fit un signe imperceptible à Mac. Celui-ci comprit aussitôt qu'il était préférable de rester près de Kanazi. Celui-ci s'allongeait sur l'un des matelas disposés un peu partout à même le sol. Peut-être un peu plus tard, aurait-il de nouveau envie de parler...

Prince jeta un coup d'œil sur sa montre.

— On y va ?

Dex le suivit. L'hôtel était déjà silencieux et

il était à peine dix-neuf heures. Au-dehors, les magasins fermaient.

— Tu parles d'un bled...

Prince tourna la tête, songeant à cette salle d'opérations, à Mengele, aux autres.

— Un sacré bled, dit-il.

Ils se guidèrent au son jusqu'à une petite brasserie d'où parvenaient les flonflons de l'accordéon.

13

En poussant la porte à petits vitraux multi-colores, ils purent se croire transportés dans une cave d'Innsbruck ou de Garmisch : podium de bois mal équarri où s'escrimaient un accordéo-niste, un violon, un saxo (tous en pantalon court de cuir vert et veste folklorique bavaroise), face à une salle enfumée coupée de boxes aux claus-trats ouverts de cœurs et de croix de Malte.

Une demi-douzaine de consommateurs riant bruyamment devant un bar d'acajou massif ces-sèrent de s'agiter pour les regarder entrer. Der-rière le comptoir, un gros homme à moustaches, le ventre ceint d'un tablier taillé en oblique, parut très contrarié.

— *Senhores ?*

— *Dunkles Bier*, dit Prince, s'installant, mon-trant deux doigts. *Zwei.*

L'orchestre jouait faux depuis quelques ins-tants, les musiciens louchant dans leur direction. Prince aperçut une affichette derrière eux, annon-

çant en allemand une soirée dansante. Le patron
revenait déjà et il détourna les yeux.

— *So, Senhores,* fit l'homme posant les deux
chopes.

— C'est pas des « *Senhores* », Bertolt, rectifia
l'un des clients proches. Tu vois bien que c'est
pas des « *Senhores* ».

Dex tourna paisiblement les yeux vers lui : le
type avait parlé avec un fort accent saxon ; il
avait des bras énormes dotés de muscles roulant
sous une chemise grossière aux manches relevées :
un ouvrier agricole, ou un quelconque manœuvre.

— *Prosit,* fit-il aimablement, levant sa bière.

— Bertolt, il sert n'importe qui, dit en allemand un autre consommateur, avec reproche. Ça
lui jouera des tours.

Celui-là était jeune, relativement bien habillé,
polo clair sous une veste de daim, chaussures de
tennis, pantalon gris léger.

L'orchestre cessa de jouer et les musiciens
quittèrent le podium. Ils arboraient un air dégoûté.

— Tu vois bien, Bertolt, eux ils en ont où je
pense, ils refusent d'amuser n'importe quelle cloche qui passe.

Dex frôla vivement le bras de Prince. Ça
n'était pas le moment de se faire repérer. Il ter-
mina sa bière.

— Sont pas bavards, dit un troisième homme,
un petit brun à l'air venimeux. Il doit leur falloir
être en groupe avec leur troupeau de youpins
pour...

— Ça suffit ! lâcha Prince, **sautant de sa**
chaise. *Sie haben Juden gesagt ?*

Dex l'empoigna par le bras.

— Allez, on se tire...

— Je finis ma bière, dit Prince, les yeux rivés au petit Allemand devenu tout pâle, attentif.

— Bertolt, si tu continues à servir n'importe quel métèque, on viendra plus, menaça un quatrième homme, jetant deux coupures sur le comptoir. *Gut' Abend !*

— Votre politique, j'en ai rien à foutre, s'énerva le tenancier. Je suis commerçant. Ma croix, c'est la bière. Je la porte et je sers. Le reste...

Prince se désintéressa du petit Allemand. Derrière ses épaules, il venait de revoir la même affichette fixée près du podium, mais de beaucoup plus près. Une artère battit plus fort à sa tempe. Au-dessus de « Grande Soirée dansante offerte par les aînés, le samedi 3 », se découpaient deux épées croisées à la fusée endiamantée sur une feuille de chêne, le tout au centre d'un ruban noir blanc rouge et au-dessus d'une Croix de Fer.

Dex l'avait repérée en même temps. Prince s'avança, dut écarter le petit homme qui protesta.

— T'as vu comme ils nous traitent, Bertie ! On dirait qu'on est de la crotte !

— Et vous... là, gronda le présumé ouvrier agricole, faut pas agir comme ça, faut faire des excuses à mon copain !

Prince les écoutait à peine, fasciné par l'affichette.

« Venez nombreux le samedi 3 dans notre salle des fêtes von Schirach de Duque Caxias. Saucisses à volonté, Moselle. On chantera, on boira, on dansera ! Tous nos glorieux aînés seront présents, et vous aurez à cœur de leur faire honneur. Soirée donnée au bénéfice des *Munizips* Gaspar, Indayal, Timbo, Rio do Sul et Hansa-Hammonia de l'Association allemande de jeunesse *Eiden* ! Orchestre pop Massarandura ! Dites-le autour de vous ! »

— On vous a demandé de faire des excuses ! hurla le type. Vous vous foutez de nous, sale cochon de Jude ?

— Hey là, dit doucement Prince, grimaçant un peu, l'écartant. Faut soigner ta tuyauterie, camarade. Tu refoules beaucoup.

L'autre émit un vilain rictus, leva le poing. Prince le cueillit sans attendre au foie avec une telle violence que l'homme fut propulsé vers le comptoir comme s'il venait d'être renversé par une voiture. Il se plia en deux, les yeux lui jaillissant des orbites, haletant.

— *Schlechte Sau... Saukerl verflucht !*

— Viens, souffla Dex, c'est idiot. Pas le moment.

— Les laissez pas sortir ! braïlla l'homme, je me les...

Deux autres types barraient la porte, menaçants, mais sur leurs gardes, impressionnés par les râles, malgré tout un peu abusifs, poussés par l'homme à l'haleine forte.

— Pas de scandale ici, implora le gros au tablier. Ma licence !

Prince écarta tout doucement le premier homme devant la porte, reçut l'impact d'un regard plein de haine, mais constata avec satisfaction qu'il s'écartait. Le second cracha de sifflantes insultes dans un dialecte qu'ils ne comprirent pas, mi-portugais mi-saxon. Il s'éloigna à son tour de la porte.

— C'était juste un malentendu, fit Dex avec un grand sourire à tout le monde. *Gut' Abend !*

— *Meine Herren !* s'affola le gros tenancier. Dix nuevos cruzeiros !

C'était trois fois le prix des bières, mais Dex revint sur ses pas pour tendre le billet. Ils sortirent dans un silence de glace.

— C'est absurde de se faire repérer, fit Dex, lorsqu'ils furent dans la rue.

— Ça valait le coup d'entrer. Ne serait-ce que l'affichette. (Prince s'arrêta net.) Bon Dieu, mais *on est samedi !* C'est aujourd'hui, leur soirée.

— On ne sait même pas où se trouve Duquel Caxias.

Les « *broom, broom, broom, broom* », entendus de l'hôtel se rapprochaient. Une patrouille arrivait droit sur eux, suivie à distance par un half-track où se trouvaient quelques civils.

— *Halt !*

Le véhicule stoppait, et les agents les entourèrent. Prince estima qu'ils avaient de la chance : c'était tout à fait par hasard que les deux 32 que leur avait remis à Curitiba un envoyé du Consulat de France étaient restés dans leur valise. Ils furent fouillés, après qu'un des agents leur eut carrément redressé les bras.

— *Documente !*

Ils tendirent leurs passeports. Un gradé de couleur s'en saisit et les tendit à l'un des civils qui, assis sur la banquette latérale du half-track, observait la scène, un cigare entre les dents.

— Dé Paris ? claironna l'homme au cigare, l'air soudain réjoui, en un français approximatif. Si ! vous êtes du groupe de touristes arrivés au *Bayerischer Hof*, c'est ça ?

Celui-là était Brésilien, même pas métissé. C'était assez rare pour que le fait les inquiète. Un flic de haut grade...

— Nous visitions la ville, expliqua Dex aimablement.

— En faisant un peu lé bruit, pas vrai, blagua le policier tendant les passeports quelque part derrière lui. *C'est vous* qui poussiez la... comment lé dire, la gueulanté dans la *Keller* du père Bertolt ?

— La « gueulanté », c'est les clients qui la poussaient ! dit Prince souriant à son tour.

Les passeports réapparurent et l'homme les rendit, clignant de l'œil.

— Bien... Très bien. Tout compris. Si vous rencontrez autres patrouilles dites que le commissaire Machado vous a déjà contrôlés, hey ? Vous pourrez voir peut-être encore vérifications : beaucoup la surveillance, cause prévention la guérilla urbaine. Lé bonsoiér, Missiers.

Ils faisaient déjà demi-tour, quand l'officier de police les rappela, leur tendant une sorte de registre, qu'on venait de lui passer de l'intérieur du véhicule.

— Mille excouses ! J'oubliais règlement... Mettez vos pouces là-dessus. D'abord la boîté. (Il souriait largement.) Siliconés, pas salir... Si, pétité boîté noire, puis là. Ici.

Prince lut les noms, se demandant comment, à

l'intérieur, on avait pu aussi vite retranscrire leurs passeports. *Empreintes.* Ils se faisaient avoir en beauté.

— Lé bonsoiér, Missiers ! claironna Machado. Bon séjour dans le Santa-Catarina.

Ils traversèrent la rue pour rejoindre l'hôtel.

— Ça ne s'arrange pas, dit Prince. S'ils transmettent aux *Dops* de São Paulo, je suis bon comme la romaine.

— Ils ont tes empreintes, aux *Dops* ?

— Je ne sais pas. Mon signalement en tout cas sûrement.

Dans le hall, la blonde épanouie leur adressa un charmant sourire. Ils grimpèrent quatre à quatre en direction de l'espèce de dortoir qu'on leur avait attribué, poussèrent la porte. Une lampe de chevet jetait une sinistre lueur rouge sur le tas de matelas où gisaient des formes enfouies dans des couvertures. Mac et l'Israélien ne dormaient pas, fumant, assis, adossés au mur.

— M. Kanazi me parlait de ce que lui racontait feu Ingelberg au sujet de la bizarre maison du docteur Rienhardt, dit Mac. Ici, à Doña Emma... (Il terminait soucieusement un minuscule mégot, le tenant entre le pouce et l'index, l'examinant.) Ingelberg disait que ce Rienhardt ressemblait beaucoup à une sorte de Mengele qui se serait refait la figure. C'est drôle, non ?

— D'autant que le toubib faisait pas mal de chirurgie esthétique, selon Ingelberg, ajouta Kanazi à voix basse.

Prince semblait avoir autre chose en tête.

— Avez-vous une carte du coin, Sammy ?

— Attends une seconde, fit Dex. Juste un détail, Kanazi. Pourquoi exactement Ingelberg a-t-il tenu à rentrer en France ?

— Tenu, tenu, c'est beaucoup dire... En réalité, il avait fait des blagues ici. Ils ont leur petit code de moralité, dans le *Cercle de Fer* comme ailleurs. Une histoire de femme piquée à un autre... La femme avait eu tort d'embarquer un peu de fric, qu'elle avait donné à Ingelberg. Il se savait cuit ici. Alors, quand je lui ai un peu forcé la main...

— Vous dites que vous n'êtes plus venu au Brésil depuis deux ans.

— Bien quoi, quoi. (Kanazi levait un regard hostile.) Vous vous méfiez de moi maintenant ? C'est pas au Brésil que j'avais recontacté Ingelberg il y a quelques semaines. Mais en République Dominicaine.

— Pourquoi ?

— On n'a pas le temps, coupa Prince. Il nous faut savoir où se trouve ce bled, Cuque Caxias.

En quelques mots, il résuma l'affichette qu'ils avaient vue et Kanazi se dressa, incrédule.

— Bon Dieu ! Si c'est vrai, et si c'est bien la date, c'est un sacré coup de pot ! Attendez, j'ai un dépliant touristique du coin dans ma valise. Des gars d'*Eiden*, c'est pas vrai !

— Les « *aînés* » peuvent être tout aussi intéressants, dit Mac.

Kanazi se retourna tout d'une pièce, leur tendant la carte. Il demeura silencieux pendant qu'ils l'étudiaient.

— Là, trouva Dex. Sur le rio Itajehy do Norte. Vingt ou vingt-cinq kilomètres d'ici.

— Avec quel véhicule ferez-vous ce trajet ?

L'industriel Marcellin s'était réveillé, s'approchant sans qu'ils n'y prennent garde.

— Je suis navré d'avoir entendu, au sujet de cette soirée. Suis-je indiscret ?

— Aucunement, fit Dex. Nous prendrons le car.

Waldenstein arrivait à son tour, poussif, sa figure soufflée de mauvaise graisse attentive.

— Savez-vous l'heure qu'il est ?

— Dix heures, dit Kanazi. Une « soirée dansante », ça commence à peine, à cette heure-là.

Prince échangea un regard avec Dex, qui inclina la tête.

— Kana, allez réveiller Mme de Saint-Prades et dites-lui où nous allons. Je ne lui conseille pas de venir. Mais qu'elle prévienne immédiatement le député Padovani, Bensala, M. Finkel et le type de Reuter. Qu'elle dise à l'Américain qu'il prenne son *Rolei*, mais également un appareil moins voyant du genre *Minors*.

— Cette fois, on plonge dans la gueule du lion, s'enthousiasma doucement Kanazi, avalant une pilule. Ça risque d'être fumant. (Il quêta l'avis de Waldenstein et du P.-D.G. français.) Bon, si vous venez aussi, à nous tous on va faire une sacrée tapée de témoins et il faudra qu'on fouille bien dans nos mémoires.

Il quitta la pièce vivement pendant que l'Allemand et Marcellin se rhabillaient.

— C'est vrai, entre Finkel, M. Waldenstein et

moi-même, nous représentons dix ou douze camps nazis, dit le Français, nouant sa cravate devant la vitre de la fenêtre. En trois ans chacun d'entre eux a vu défiler parfois trois ou quatre Lager-führer.

— Ça fait du monde, dit Mac.

— Pas d'illusions, dit Prince. Il va nous falloir aussi une fichue dose de chance.

Il se pencha vers la valise, retrouva le 32 sous une pile de linge, le fourra dans sa poche en même temps qu'une minuscule caméra 2 x 2,5 du volume d'une grosse boîte d'allumettes.

Ils rejoignirent Kanazi à l'extérieur devant le car. Mme de Saint-Prades était là également, l'air anxieux.

— N'allez pas commettre de folie.

— Pourquoi sommes-nous ici, madame ? Nous faire rouler par les agences, humilier, faire du tourisme vraiment ?

Ils grimpèrent tous dans le car, l'Américain de Reuter, assez sceptique et goguenard, montant devant Prince.

— Vous croyez que, juste pour nous être agréables, ils vont sortir de leur tanière pour danser du pop aux rythmes du Massandura ?

Prince lui adressa un coup d'œil incisif.

— Vous avez vu l'affiche, n'est-ce pas ?

— Qu'est-ce que vous croyez ? Elle est chez tous les commerçants. Je fais mon métier... J'ai même été arrêté par les poulets du *Dops*, à cent mètres de l'hôtel, en revenant.

Kanazi criait quelque chose, s'installait au

volant. Prince claqua la portière du car, se penchant vers l'Américain.

— Peut-être y en aura-t-il malgré tout un ou deux d'intéressants, Glasker. N'oubliez pas que les jeunes d'*Eiden* sont des fanatiques. Quelques « aînés » se souvenant de leur jeunesse et des svastikas de Nuremberg, viendront peut-être les encourager.

Le car s'enfonça dans la nuit, roulant entre le maté, les vignes, les bananes et le coton, et au fur et à mesure qu'ils s'approchaient de Duque Caxias ils crurent entendre fifres et cymbales qui, sous une bannière à croix gammée quelque peu effilochée, accompagnaient les accents du « *Horst Wessel Lied* » d'un rythme trop pop rappelant les Beatles.

14

Rien n'était comme ils l'avaient imaginé. La salle des Fêtes Baldur von Schirach avait la banalité d'un dancing populaire d'Auvergne ou d'Alsace, et la musique qu'ils entendirent dès leur descente du car aurait pu être jouée par une formation d'amateurs de banlieue.

A l'entrée cependant, les jeunes gens qui paraissaient faire le service d'ordre et encaisser les billets auraient été, du côté de Paris, aussitôt embarqués en moins de deux : tenue noire, bottes et brassard à croix gammée.

— *Was wollen Sie, meine Herren ?*

Un tout jeune blondinet à l'air inquiet se dressait, abandonnant pour un instant le coffre empli de cruzeiros se trouvant devant lui.

— *Turisten,* expliqua Dex aimablement. *Der Eintritt ist frei ?* L'entrée est libre, n'est-ce pas ?

— *Was ist los ?* questionna un type plus âgé aux énormes lunettes en apparaissant.

Il arrondit les yeux derrière ses hublots en voyant l'espèce de commando qu'ils formaient. Dex répéta patiemment qu'ils étaient de passage, touristes. Prince, pris d'une subite inspiration, ajouta en allemand :

— Le commissaire Machado nous a signalé votre soirée... C'est lui qui nous a invités, dans le Santa-Catarina.

D'autres types à brassard à croix gammée se retournaient. Dans la salle, devant un énorme buffet d'où parvenait un âcre remugle de viandes grillées, des gens dansaient au milieu d'une relative pénombre.

— Machado ? dit le jeune type.

Prince surveillait l'Américain de Reuter. Il s'était avancé, et son veston était entrouvert ; il prenait des photos, son appareil fonctionnant à la vitesse d'une arme automatique, pivotant sur lui-même comme s'il eût admiré la décoration. Dex vit les types hésitants, les devança, en plaçant dix cruzeiros sur la table. Kanazi l'imita aussitôt, puis les autres et ils furent à l'intérieur avant que les contrôleurs à svastika aient pu prendre la moindre décision cohérente.

— Regardez ça, chuchota Glasker, à demi détourné vers Prince. Les murs...

Ils passèrent devant d'austères vieux messieurs qui semblaient faire tapisserie, certains devisant ou tirant sur d'énormes cigares. Prince lança un regard oblique du côté de l'entrée. Deux des ancêtres interrogeaient les jeunes, sans doute à leur sujet.

— *Les portraits,* indiqua Glasker, d'un mouvement du menton. On me l'aurait dit, je ne l'aurais pas cru.

Prince longea lentement la paroi recouverte
d'énormes photos. Le bonnasse Herbert Gille, Kes-
serling, Black, Ramcke, l'équivoque capitaine Marseille, l'as Galland et sa petite moustache, et les
autres, Mölders, Novotny, Rommel, Graf, Lüth,
Rudel, Sepp Dietrich, von Manteuffel... Tous portaient l'épée endiamantée à leur col.

— Ce sont les héros, hein ? dit derrière eux
Kanazi d'une étrange voix fêlée. Les Chevaliers
aux Diamants. Les anciens, les vrais.

Prince l'observait à la dérobée : Kanazi cre-
vait de peur. Brutale, les faisant tressaillir, *La
Marseillaise* éclata dans la salle et ils en crurent
à peine leurs oreilles. L'homme aux grosses
lunettes s'emparait du micro.

— *Meine Damen, meine Herren,* des touristes
de France nous font grand honneur venir nous
rendre visite...

Prince sentit un bref frisson lui glacer l'échine.
Il admirait Glasker ; avec une incroyable désinvol-
ture l'homme de Reuter manœuvrait son *Minolta*
et il semblait impossible que ses mouvements
convulsifs le long de son gilet, dans la poche
duquel l'appareil était placé, passassent davantage
inaperçus.

— *Meine Damen, meine Herren !* reprenait
l'homme d'une voix à l'ironie glacée, la paix est-
elle donc signée ?

Des gros rires suivirent. L'orchestre ne jouait
plus. Waldenstein était plus apoplectique que
jamais, et l'Italien Padovani avait un teint couleur
de plomb. Kanazi l'avait dit : ils étaient dans la
gueule du lion... Prince chercha Dex, Finkel et

Bensala du regard, les vit tout bonnement debout
devant le buffet.

— Non, la paix *n'est pas* signée ! hurla l'ani-
mateur au milieu d'autres rires.

Une marche saccadée succéda à *La Marseillaise*,
reprise sans conviction aucune par cinq ou six
vieux messieurs.

« *Denn wir fahren, denn wir fahren, denn wir
fahren gegen Engelland...* »

Immédiatement après, Prince eut la stupeur de
reconnaître « *In the summertime* », entendu au
hit-parade, moins de huit jours auparavant à
Paris. Les gens s'étaient remis à danser comme si
de rien n'était, l'orateur, redescendu, plaisantant
bruyamment avec un groupe austère qui se déri-
dait mal.

— Si je ne l'avais vu et entendu de mes yeux
et de mes oreilles, je croirais avoir rêvé, dit
Kanazi. Et c'est nous qui avons les foies. Eux,
ils sont tranquilles comme Baptiste.

Ils se massèrent du côté du buffet. La curiosité dirigée vers eux était empreinte de désinvol-
ture et d'indifférence méprisante. On les observait
avec une ironie condescendante. Prince actionna à
son tour sa caméra, pivotant doucement. A Paris,
à condition qu'ils puissent y retourner sans casse,
le film vaudrait de l'or.

Il surprit le regard d'une femme très emper-
lousée peser sur lui, ôta vivement la main de sa
poche, allongeant le bras pour saisir une saucisse brûlante qui grillait au-dessus d'un feu électrique.

— Attention, le prévint Dex. C'est payant...

Chaque consommation ou saucisse, un cruzeiro nouveau.

— Pour la caisse des pauvres SS victimes des féroces déportés, pas vrai ? chuchota tout doucement Kanazi. Ou bien au profit des nazis trop dénazifiés.

— Kana, vous fermez votre gueule ou je vous rentre dedans, fit Dex tout bas mais souriant aimablement à une Gretchen à nattes qui lui tendait un plat. On nous observe.

Finkel, Pado et Bensala se tenaient cois, avalant et buvant sans bruit, aussi blafards l'un que l'autre, leurs résolutions vengeresses apparemment oubliées. Prince se demanda qui avait le plus envie d'entre eux de filer. Marcellin, lui, restait calme. Il parlait parfaitement allemand, échangeant quelques mots avec un serveur qui lui présentait du vin de Moselle dans du cristal taillé. Le serveur fit demi-tour et Marcellin offrit des cigarettes à Prince.

— On me l'aurait raconté que je ne l'aurais cru de personne. (Il offrit du feu.) Tout cela est inimaginable. Et nous avons été stupides de nous leurrer. Regardez ces gens : ils ont cinquante, soixante ans, plus encore. Il y a trente ans que nous les avons perdus de vue. Il faudrait énormément de chance pour toucher les vrais cibles, ou pour trouver un seul de nos bourreaux ici, ou le reconnaître. Et il y a la chirurgie esthétique.

— Ça va bien, dit Prince, sèchement.

Marcellin hocha la tête, plus pâle, avala son vin. Prince se dirigea vers une jeune fille isolée,

dans l'intention de l'inviter à danser. Elle le vit
arriver et ses lèvres s'amincirent. Elle fit non de
la tête. Prince revint au buffet.

— La paix n'est pas signée, le mec aux quat'
yeux vous l'a dit, souffla Kanazi, narquois. Je...
(Il s'interrompit. Prince ne l'écoutait pas, paraissant fasciné par un groupe qui discutait sans bruit
dans un coin.) Vous avez... vu quelqu'un ?

Prince l'ignora, se rapprochant de Dex.

— C'est une nouvelle connerie, cette salle,
chuchota Dex. On perd notre temps...

— Pas sûr, dit Prince.

Dex crut qu'il parlait des photos que continuait
à prendre plus ou moins discrètement l'homme de
Reuter. Mais Prince regardait d'un autre côté. Dex
poussa un léger sifflement. Il avait vu...

— Incroyable, non ? dit Prince tout bas. C'est
lui, ou c'est pas lui ?

— Avez-vous reconnu Bormann ? s'enquit
Kanazi avec un sourire inquiet.

Dex lui lança un regard froid. Kanazi renifla
et avala une pilule. Prince quitta le buffet, s'avançant nonchalamment en direction des trois
hommes et de la maigre vieille femme couverte
de bijoux qui bavardaient juste devant une sorte
de tableau-graphique. Il les dépassa, feignant d'admirer ce qui paraissait être une espèce d'organi-
gramme. Il finit par s'y reconnaître : les anciennes
sections de Jeunesse de l'ex-Reichsjugendführer
Schirach... « *Obergebiet, Gebiet, Bann, Unterbann,
Gefolgschaft* », pour les garçons, « *Untergau, Ma-
delring, Madelgruppe* », pour les filles. Les gens
d'*Eiden* devaient restructurer leurs sections de

garçonnets et fillettes à la façon Schirach. Il s'en moquait complètement, attendant, les doigts crispés sur son verre, qu'un des hommes ait fini de parler.

Il patienta deux ou trois minutes. Enfin l'homme s'écarta. Prince le vit tout proche : yeux verts de femme, mêmes méplats, visage dur et mâle, y compris même, et c'était étonnant, cette mèche plus pâle sur les cheveux à présent gris.

— Permettez, monsieur, fit-il en français et très doucement, profitant de ce que l'homme était tout proche, vous êtes Jean-François Drieux, n'est-ce pas ?

L'homme se retourna avec une lenteur extrême. Ses yeux verts avaient la fixité de ceux d'un reptile, et il scrutait Prince comme s'il avait du mal à croire ce qu'il avait bien entendu.

— Votre fils est entre nos mains, en France, monsieur Drieux. Il est accusé de meurtre et de viol.

Il fit demi-tour, comme s'il était las d'admirer le tableau. Le regard de l'homme, il le savait, était rivé sur sa nuque.

— On s'en va, dit-il dans un chuchotement. Kanazi, avez-vous fait le point ?

— Personne n'a vu personne. J'ai demandé... Vous en revanche on dirait que vous avez vu un fantôme.

Prince sortit le premier et les autres suivirent. Les membres du service d'ordre d'entrée étaient de glace. Aucun ne répondit au salut un peu obséquieux de Bensala. Au-dehors, Kanazi parut soulagé et ses aigreurs le reprirent.

— Benny, t'as bonne mine ! Tu faisais dans tes culottes, hein ? Salut, m'sieur, salut, m'dame la nazie ! C'est dommage que Reuter t'a pas pris une photo à ce moment-là. On l'aurait montrée à ta grosse.

— Les photos seront quand même foutrement utiles, dit Glasker, grimpant lestement dans le car. Vous avez pu faire une bobine aussi ?

Prince acquiesça distraitement. Il ne montait pas, et Dex paraissait lui aussi hésiter.

— Et alors, qu'est-ce qu'on fait ? grommela Kanazi. On attend la prochaine dernière pour savoir de quel côté ils seront ?

— T'as hâte de te tirer aussi, salaud ? grogna Bensala. Tu peux...

— Bouclez-la, dit Prince. On attend quelqu'un.

Il alluma un cigarillo, satisfait tout compte fait qu'ils se soient rangés assez loin de la salle des Fêtes. Ils voyaient les lumières et une partie du hall à travers de gros acacias. Personne n'avait paru vouloir les suivre.

— C'est quand même étrange, prononça Dex. Ils semblent être parfaitement tranquilles, tout à fait en paix. Parmi les vieux que nous avons vus, il devait pourtant y en avoir quelques-uns avec un dossier de Nuremberg, de Malmedy ou de La Haye salement chargé.

— Il arrive, dit Prince.

Un homme en effet venait d'émerger de derrière les hauts buissons de lauriers-roses qui bordaient la rue sans trottoir. L'arôme de son cigare flottait jusqu'à eux. Le pas était lent, soulevant de faibles échos dans la petite ville déserte.

— Qui êtes-vous donc ? demanda-t-il.

— Un instant, dit Prince. Vous vous appelez Jean-François-Marie Drieux, et vous avez fait partie de l'Etat-Major « recteur Poincaré », à Paris ? Commandant de la LVF sous les ordres de Doriot, vous avez combattu avec lui, puis avec Degrelle ? Vous êtes passé ensuite à la 33e SS Waffen-Grenadier...

— Ridicule, dit doucement l'homme. C'est un passé couvert de poussière, prescrit. Oublié même en France. Je n'ai aucune inculpation de crime de guerre ou de trahison.

— Pourquoi en ce cas ne pas être rentré ?

— En France, j'étais mort. Ici, je continue à vivre quelques années encore... *Mon fils ?* Je suis venu pour lui... Qu'avez-vous raconté dans la salle ?

Dex se rapprocha, après avoir expédié Kanazi à une trentaine de mètres avec l'ordre de surveiller l'entrée de la salle Schirach. Drieux le regarda arriver avec une inquiétude accrue.

— Votre fils a manqué de chance pour son dernier contrat, monsieur. Nous l'avons intercepté après l'assassinat d'Ingelberg...

— Que me chantez-vous là ? « Contrat » ? Ingelberg... mort ?

Il paraissait sincèrement stupéfait.

— Votre fils était employé comme tueur à gages par la section hambourgeoise d'*Eiden*, dit Prince. Nous ignorons combien d'hommes il a tués. Nous le détenons seulement pour la mort d'Ingelberg. Aussi pour avoir violé une femme, dans la région parisienne.

— C'est... impossible.

— Nous le détenons et il sera peut-être déféré à la justice française, reprit Dex. A moins que nous ne changions d'avis et que nous ne l'exécutions nous-mêmes.

L'homme écrasa son cigare à terre, marcha dessus, gardant les yeux baissés. Sa respiration était bruyante.

— *Qui êtes-vous ?* (Il redressa la tête, vit le car bariolé, les autres.) Par le Ciel, mais qui êtes-vous donc *tous ?*

Kanazi arriva, courant silencieusement.

— Ça bouge, là-bas... Ils vont peut-être pas tarder à sortir. Il est tard.

— Montez, monsieur Drieux, dit Prince désignant le car.

Le vieil homme recula.

— Mais... je ne veux pas, monter ! Et on pourrait... enfin, je ne sais pas, me voir.

— Vous avez une voiture ? Alors suivez-nous... Nous nous dirigeons sur Doña Emma. Qu'avez-vous comme voiture ?

— Ford Fairlane.

— Nous nous rangerons du mieux possible à quatre ou cinq kilomètres d'ici. Disons, après le premier pont au-dessus du rio Itajehy. Ne roulez pas trop vite... Nous vous ferons signe.

— Mais non ! c'est du roman d'aventures, dit le vieillard avec colère. J'*habite* Doña Emma. Nous y serons plus tranquilles... Je présume que vous, vous êtes au *Bayerischer Hof ?* La quatrième cuadra sur la gauche en sortant de l'hôtel. Un petit chemin de terre qui monte sur Witmarsum.

15

Abandonnant le car non loin de l'hôtel, et laissant quatre de ses occupants remonter dans leurs chambres sous la houlctte de Mac, ils se rendirent à pied à l'endroit indiqué par Drieux. Un instant, Prince avait hésité à emmener Kanazi, mais celui-ci avait insisté. Il était déjà venu, disait-il, dans la petite ville, savait pouvoir s'y reconnaître en cas de danger.

Ils tournèrent dans la cuadra signalée. La nuit était très noire, les lampadaires totalement absents dans cette partie de Doña Emma. Une âcre odeur de vase leur parvint, et le coassement d'innombrables crapauds se fit plus fort, couvrant de légers clapotis.

— Marécages dans le secteur, dit Kanazi à voix basse. Derrière, il y a une route qui a une légende...

— Une légende ?

— On la dit construite sur ordre de Mengele et Bormann. Avant, pour aller à Witmarsum il fallait passer à pied par la colline, ou suivre le

rio Kravel avec un sacré détour. En 58/60 il y a
eu des curieux juifs dans le secteur, et on raconte
que les deux gros ont fait faire la route pour
pouvoir se tirer le cas échéant. Qu'est-ce que vous
en dites... Troublant, non, tout ça ?

— Troublant, dit Prince.

— ... attention ici, plus de chemin... De la
pierraille.

Des phares illuminaient le ciel derrière eux.
Prince tira le 32 de sa poche, prêt le cas échéant
à le balancer au loin s'il s'agissait de la police.
Ils s'étaient tous allongés au sol, suivant avec
anxiété l'arc de cercle lumineux se projetant sur
le sommet des arbres.

— C'est drôle, ce rencart juste à cet endroit-
ci, dit Kanazi. Regardez la longue baraque sur la
gauche... Après l'arc de triomphe de la piste qui
va vers la fazenda...

— Alors ?

— C'est la villa dont je vous ai causé, celle
de Rienhardt. Le toubib, chirurgien esthétique...
Parole, cette baraque-là, elle est sûrement signalée dans les archives secrètes du monde entier !

Dex se rapprocha de Prince.

— ... pas dans les nôtres en tout cas.

— Vous étiez pas spécialistes.

— Ça va...

La voiture arrivait à petite vitesse et on enten-
dait les pierres rouler sous les pneus. Ils finirent
par pouvoir la distinguer : une Ford Fairlane.

Ils reculèrent sur le ventre, rampant pour éviter le faisceau, se rejetant dans un fossé. La
lumière aveuglante s'éteignit, remplacée par deux

feux blancs. Une portière s'ouvrit, et un homme
apparut. La portière claqua. L'homme avançait.

— Il est seul, chuchota Kanazi. Il faudrait...

Une main se plaqua à sa bouche, et Kanazi
roula des yeux affolés, finit par percevoir à son
tour le très léger bruissement qui venait de la
colline. Face à eux, l'homme avançait toujours,
s'immobilisait.

— Où êtes-vous ?

Venant de la colline, les bruits légers se faisaient plus nets : d'autres hommes avançaient,
dévalant doucement la pente, de l'autre côté. Le
coassement des crapauds couvrait les pas, mais pas
suffisamment. Drieux avait en tout cas bien choisi
son coin.

Dex se détacha du petit groupe qu'ils formaient,
progressant silencieusement, se soulevant un peu
plus loin, avançant courbé. Un pêcher couvert de
fleurs, pulpe rosée pareille dans la nuit à de la
crème et du sucre, lui servit d'abri une seconde.

— Monsieur Drieux, dit tout doucement Prince.

— Enfin !

Dex l'avait entre-temps complètement contour-
né, lui enfonça son 32 dans les reins.

— Ne bougez pas, n'appelez surtout pas.

Prince se dressa et Kanazi arriva aussi. Dex
fouillait déjà l'homme qui avait levé les avant-
bras, récupérait un gros automatique. Kanazi s'em-
para de l'arme.

— Ça tombe bien.

— Etes-vous fous ? chuchota Drieux, je vous
donne...

Dex l'obligea à s'allonger d'un brutal coup de

genoux aux reins. Le vieil homme tomba dans l'herbe humide avec un gémissement d'effroi.

— Regardez-les, prononça Prince à son oreille. Vos amis... C'est imprudent de nous avoir pris pour des imbéciles. Imprudent aussi pour la vie de votre fils.

— Vous mentez au sujet de mon fils... J'ai compris tout de suite que vous mentiez. (Drieux haletait, et sa voix était cassée par la peur.) Mon fils poursuit ses études à Tübingen. C'est un garçon admirable. Et vous l'avez traité... d'assassin ?

— *C'est* un assassin, fit Dex tout doucement.

Ils les virent tout à coup. Ils étaient quatre. Bottés. Attentifs à ne pas faire de bruit. On pouvait vaguement distinguer le faible reflet des armes qu'ils tenaient à la main.

— Vous allez vous dresser et leur dire que vous ne nous avez pas trouvés, dit Prince, la bouche plaquée à l'oreille du vieillard, le canon du 32 soudé à sa tempe. Attention... Votre mort ne sauverait pas votre fils.

— C'est faux, n'est-ce pas... Ce n'est pas un tueur à gages ?

— *Herr Dreher ?* appela une voix inquiète. *Wo sind Sie ?*

— C'est un tueur, dit tout doucement Prince. En même temps qu'une sale petite fripouille sans tripes ni moralité.

— C'est faux ! (Au frémissement transmis par le canon de l'arme Prince comprit que Drieux pleurait.) C'est un enfant admirable.

— Une dernière chance pour lui et pour vous. Dites-leur que nous...

— *Verflucht ! Nochmal Herr Dreher wo sind Sie ?*

— Je vais tirer, annonça Prince. Et lui mourra aussi.

Le vieil homme se leva, criant dans la pénombre :

— *Ich habe gar nichts gesehen.*

— *Gar nichts ? Neugierig Umschwung...*

Ils arrivaient cette fois en courant, stupéfaits de l'affirmation du vieil homme. Un instant, Prince eut la tentation d'essayer de les faire parler, mais Kanazi perdait son sang-froid, tirait déjà. Dex l'imitait l'instant d'après en voyant deux silhouettes bondir en criant. Prince vida son chargeur sur le dernier qui sautait en hurlant de pierre en pierre, tournoyant autour des pêchers, le vit sauter en arrière en recevant la dernière balle en pleine poitrine.

Drieux tremblait nerveusement. Prince l'empoigna par un bras, l'entraînant, grimaçant de colère.

— Venez voir ! Ils étaient quatre ! Vous n'êtes qu'une ordure, Sturmbannführer Drieux !

— Nom de Dieu, dit Kanazi, anéanti, découvrant les corps. Après ça, il faut qu'on se tire en vitesse. *Quatre.*

Drieux résistait, trébuchait ; ils pouvaient entendre ses dents claquer.

— C'est faux, n'est-ce pas, au sujet de mon enfant ?

Il glissa soudain au sol comme un paquet, secoué de frissons, et Prince le souleva avec violence, le giflant par deux fois.

— Imbécile ! C'est vrai. Aussi dur que ce soit à admettre pour un père. Qu'avez-vous cru ?

Drieux tenta de lui échapper, et de fureur Prince le balança brutalement sur l'un des cadavres. Drieux cria, se redressa, essuyant ses doigts couverts de sang à même l'herbe, essayant à nouveau de s'enfuir à quatre pattes, terrorisé. Prince comprit qu'il craquait, essaya de limiter les dégâts. Ils allaient avoir encore sérieusement besoin du Français.

— Bon, du calme, major Drieux... ou Dreher, comme ils vous ont appelé. Vous avez été un homme devant Berlin, en Silésie. Je l'ai même dit à votre fils.

— Vous le lui avez dit... Vous avez dit cela ?

— Bon Dieu de déveine ! dit Kanazi en se redressant, après avoir promené une torche sur les quatre corps. Tous des jeunots... Sacrénom de foutus petits cons ! (Sa voix était fêlée.) Ça a l'air comme ça... j'en pleurerais ! (Il se retourna, convulsé de rage vers Drieux, le frappant de son poing fermé.) Pourquoi les avoir prévenus, espèce de gros fumier d'empafé ? Vous êtes content ?

— Je ne savais pas, dit l'homme, reculant, épouvanté. Je ne vous... croyais pas.

— Nous détenons votre fils, répéta Dex. Et je pense qu'à présent il a peu de chances de s'en tirer. En prévenant les gens d'*Eiden*, c'est comme si vous aviez approché l'heure de sa mort. De la vôtre aussi...

— Qui avez-vous prévenu exactement ? insista Prince.

Le vieux se pétrissait les joues, soufflant bruyamment.

— J'étais prêt à aller vous rejoindre quand ils sont sortis en riant. Je suis allé vers eux impulsivement et j'ai dit... enfin que vous étiez sans doute des suspects. Ils paraissaient très contents, comme s'ils allaient s'amuser. Ils sont partis aussitôt. Seulement eux quatre : le Gefolg-schaftführer du Gebiet de Breslau et trois mem-bres du Kameradschaft local.

— Gefolgtrucführer, hein ? singea Kanazi, Kamerad chose de mon cul, pauvre andouille. En 71 ?

Drieux se frottait toujours la joue d'un geste mécanique, affolé.

— Ecoutez ! Enterrez-les... Personne ne saura.

— Ce n'est pas si facile, fit Dex. Il y a leur voiture... Dans quelques heures, leur disparition sera connue.

Ils entendirent un bruissement léger, écœurant. Kanazi envoya avec fureur une pierre sur un chien efflanqué qui léchait le visage d'un des morts. Prince observait Drieux. Lentement, l'idée née dans la salle von Schirach prenait corps. Ça n'était pas un atout maître, mais malgré tout peut-être une bonne carte à tenter. Il se décida.

— A présent, vous allez parler, *commandant*, dit-il, appuyant sur le grade. Vous avez soixante-quatre ans. Vendez les années qui vous restent.

— Vendre ? Je ne comprends pas.

— Cessez de trembler et écoutez-moi. Votre fils est au secret quelque part dans la région pari-sienne. Même la police française n'est pas au cou-

rant. A titre tout à fait personnel, je désire sa
mort. Mais vous pouvez essayer de monter sur
l'autre plateau d'une bascule. Si vous faites le
poids, je vous donne ma parole d'officier français :
il aura la vie sauve et nous le renverrons en
Allemagne.

— Votre parole... d'officier ? Mais qui êtes-
vous ?

— C'est une fois de trop que vous posez cette
question.

— Et le poids sur la balance, c'est quoi ?

Prince montra la villa toute proche, la campagne, les collines.

— Tout cela... Et loin encore vers l'ouest, de
l'autre côté du rio Paraña, au Paraguay, en Argentine. Tout ce que vous avez pu accumuler sur
le *Cercle de Fer* en vingt-sept années. Noms,
détails, emplacements, effectifs, liens bancaires et
politiques.

16

Drieux avait repris un peu de calme, mais sa voix était frémissante, tendue.

— Vous vous faites beaucoup d'illusions. Qui croyez-vous avoir vu à la salle Schirach ? Tous les états-majors de l'ancien Reich ? (Le chien revenait, avançant sournoisement, et il émit un râlc de dégoût.) Ce ne sont plus que des *vieux*, ajouta-t-il, amer. Comme moi. Et nous ne sommes pas dans le secret.

— Des vieux ? releva haineusement Kanazi. Soufflés de la graisse des anciens morts, et presque tous bons pour le poteau, mais c'est si loin qu'ils font un peu d'amnésie, pas vrai ? Ils pensent...

— Taisez-vous, dit Prince.

Kanazi balança avec violence une autre pierre sur le chien qui partit en gémissant, contournant un talus et des arbres et filant vers la colline. Dex regardait depuis quelques instants avec un renouveau d'attention la villa longue et basse qu'on apercevait derrière de hautes haies de lauriers-roses.

— Que disiez-vous au sujet de cette maison, Sammy ?

Drieux fit un pas, se penchant au-dessus des morts vêtus de noir, se pétrissant les mains.

— Vous n'allez pas les laisser là ?

— Demandez-le-lui ce qu'il en pense, de la villa, dit Kanazi, répondant à Dex.

— Vous avez entendu ?

— Oui, j'ai entendu. La maison appartient à un médecin.

— Un... médecin de votre groupe ?

— Plus ou moins. Brésilien d'origine allemande, le docteur Rienhardt.

— Vous le connaissez ?

Drieux resta muet une seconde, regardant avec une angoisse manifeste du côté de la propriété silencieuse.

— Rienhardt n'est pas là. Il est en voyage.

— Où cela ?

— New York.

— Rien que ça, hein ? dit Kanazi, sarcastique.

Prince les avait rejoints, ayant fait le tour des corps, se demandant ce qu'ils allaient décider. Les replacer dans la voiture, emmener celle-ci dans un endroit plus ou moins désert, essayer de la pousser dans une ravine après y avoir mis le feu ? Difficile... Pourtant, il fallait retarder au maximum le moment où on s'apercevrait de leur disparition.

— Dex, il serait utile de prévenir le groupe, fit-il. Je pense que nous allons avoir intérêt *très vite* à gagner la frontière du Paraguay.

— Un moment. Sammy, vous avez parlé de cette maison, disant qu'elle était *importante*.

— J'vous crois qu'elle l'est !

L'arme de Dex frôla légèrement la hanche de Drieux.

— Commandant, pourquoi après tout ne pas aller y faire un tour ?

— Un tour ? répéta Drieux, effrayé. Mais il est deux heures du matin ! Et je vous l'ai dit, le propriétaire est absent.

— Raison de plus.

— Ecoutez, c'est insensé ! Il y a une gardienne, et c'est... c'est enfin le plus sûr moyen pour moi de me compromettre !

Dex hocha la tête, montrant les corps qui gisaient dans l'herbe.

— Il y a vingt minutes encore, cette phrase aurait été logique, monsieur Drieux. A présent, elle est très dépassée. Croyez-vous qu'après tout cela, vous ne serez pas « compromis » ? Pensez-vous avoir encore une chance ?

— *L'autre plateau*, rappela Prince.

La nuit était moins noire, les gros nuages amoncelés dans la soirée chassés par le vent. De minces écharpes de brouillard s'effilochaient entre les pêchers en fleurs.

— A Paris, c'est l'automne, n'est-ce pas ? dit amèrement l'ex-officier.

— Vous avez certifié n'avoir aucune fiche de crimes de guerre vous concernant. Et je crois savoir que les vieilles histoires du genre LVF s'arrangent parfaitement bien en France, aujourd'hui.

— Je sais. Certains de mes camarades ex-officiers ont repris une vie légale à Paris.

Dex le frôla de nouveau du bout de son arme, presque gentiment.

— Passez devant, major. Je suppose que la... gardienne vous connaît?

— Oui. Mais je...

— Avancez.

Ils revirent le chien qui attendait sur son train de derrière devant la haie. Sitôt qu'ils l'eurent dépassé, l'animal revint en quelques bonds auprès des morts. Kanazi fit un mouvement, mais Prince bloqua son bras.

— Pas le temps.

Un chemin de terre serpentant vers une fazenda lointaine, dépassé, ils parvinrent devant la propriété. La villa était de style colonial américain, entourée sur tout le côté gauche d'un étrange grillage recourbé vers le haut qui rappelait ceux des camps de concentration. En approchant, Prince repéra les isolateurs.

— Le courant est coupé depuis plusieurs mois, indiqua Drieux. Il y a... plusieurs mois, M. Rienhardt se plaignait de tentatives de cambriolage, puis tout s'est tassé.

Kanazi marmonna une phrase insultante. Ils l'entendirent avaler deux ou trois pilules. Prince n'aimait pas cela, avait appris à se méfier des excitants pris par l'ex-terroriste. Après, il devenait impossible de le tenir ou de le faire taire.

— Donnez-moi vos « M », Sammy.

Il s'exécuta avec un grognement. Ils arrivaient devant un portail d'aluminium, et ils examinaient les alentours. La villa avait l'air totalement isolée, le seul bâtiment proche étant une surprenante construction de béton surmontée d'une cheminée assez haute.

— Ça ressemble à un four crématoire, dit Kanazi.

— Incinérateur, expliqua Drieux, parlant bas. Le... le docteur a une salle de chirurgie dans la villa, beaucoup de déchets.

Prince humecta ses lèvres, observant Dex qui essayait d'ouvrir le portail d'alu à l'aide d'une tige métallique courbe, tirée du corps même d'un canif à lames multiples. Ils perçurent un bref déclic et le portail s'ouvrit. Kanazi poussa un léger sifflement admiratif. Ils avancèrent le long d'une allée aux plates-bandes somptueuses, cannas, hibiscus, dahlias géants.

Quatre marches précédaient une véranda qui paraissait courir tout autour de la maison. Ils arrivèrent devant la porte principale et Dex grimaça. Cette fois, il n'essayerait même pas : les serrures étaient des Yale, massives comme celles d'un coffre de banque.

— A vous, commandant, fit-il doucement. Parlez d'un télégramme reçu à votre Association, dites n'importe quoi, inventez.

— Ce que vous m'obligez à faire s'appelle de la...

— Aucun commentaire. Pensez à votre fils. Et pour vous également tout va devenir malsain ici.

Drieux hésita, se passa une main au visage. Puis il appuya résolument sur le bouton de sonnerie, attendit, appuya encore.

— *Frau Brauner ! Das ist Herr Dreher... Ich muss Sie sprechen. Das ist sehr wichtig für Doktor Rienhardt ! Ein Unfall, ich glaube.*

De la lumière s'éclaira dans le hall. Dex se rejeta en arrière.

— Un accident ? répéta en allemand une voix affolée, derrière la porte dont les serrures grinçaient. Monsieur Dreher... pourquoi n'avoir pas téléphoné ?

La porte s'ouvrit en grand et Dex jaillit de la pénombre, revolver au poing. Une grosse vieille femme aux cheveux blancs, enfouie dans une robe de chambre à la couleur passée, recula, les yeux ronds. Prince et Kanazi avancèrent à leur tour et la femme plaqua une main à sa bouche, ses yeux agrandis se fixant sur Drieux avec reproche.

— *Warum haben Sie das gemacht ?*

Kanazi dévisageait la femme avec une fixité teintée d'ahurissement qui attira aussitôt l'attention de Dex.

— Il ne vous sera fait aucun mal, madame, dit Prince en allemand. Etes-vous seule dans la maison ?

Elle fit oui de la tête, perdit l'une de ses pantoufles en voulant s'enfuir. Dex l'avait gentiment mais fermement rattrapée par un poignet.

— Restez tranquille et il n'arrivera rien. Sammy, allez vérifier s'il n'y a effectivement personne.

Kanazi n'écoutait pas, hypnotisé semblait-il par la vieille Allemande.

— Dites, c'est pas vrai...

Sa voix paraissait provenir d'un puits profond, rauque, étrange, cassée.

— On n'a rien repéré d'intéressant dans la salle Schirach, mais là pardon... (Il s'élança vers la femme avant qu'ils aient compris ou réagi, la saisissant par un poignet avec une terrible violence, hurlant en allemand :) *Du, schlechte Hure! Du warst Billigungführerin zum Amt 4, zweite Büro, nein? Näher Birkenau, Mathausen?*

A voir l'épouvante qui se lisait aussitôt sur le regard de la femme, ils sentirent que Kanazi touchait une cible.

— Drieux, reprit furieusement Kanazi, elle fait quoi, ici, cette antiquité?

— Femme de ménage. Concierge.

Kanazi se frappa frénétiquement la tête de son poing.

— Sa bobine, je l'ai là, depuis des années! Elle a sa photo en numéro deux ou en trois sur les listes qui circulent à Tel-Aviv, et qu'on voit dans tous les centres de recherches. (Il se retourna vers la femme qui reculait, s'adossait au mur.) Vous savez qui c'est? « *Frau Führerin* » Kallter, ou Kellter, responsable de la discipline et des sanctions dans les camps de travail. Voilà qui elle était! La « discipline et les sanctions »? Chambre à gaz toujours. (La femme glissait au sol, sa tête levée dans un geste de supplication, ses yeux striés de rouge lui jaillissant des orbites.) Cette vieille bonne femme qu'on prendrait pour une petite retraitée pauvre? Le plus grand bourreau femelle des camps, entre 42 et 45! (Il pointa un doigt sur elle.) *Unsauber Sau! Wieviel Frauen hast du niedermetzelt?*

— Je la connais depuis toujours, dit Drieux,

effondré en réponse à un regard interrogateur de Prince. C'était une petite vieille effacée... Elle ne savait pas conduire, et elle allait à pied jusqu'à Doña Emma avec ses sacs à provision, faisait pitié. Enfin une...

— Elle faisait donner les chiens, coupa Kanazi d'une voix basse et cassée, et les chiens déchiquetaient les détenues, on a cent témoignages là-dessus. Cet immondice a des centaines de morts, des milliers peut-être sur la conscience. « Femme de ménage, hein ? »

Ils virent la vieille tassée au sol, misérable, agitée de tremblements convulsifs, articulant des « *nein, nein, nein* » pitoyables.

— Faut me la laisser, dit Kanazi dents serrées. Faut me la laisser et ce sera comme si je mettais des fleurs sur la tombe de milliers de femmes innocentes qu'elle a tuées. De ses mains ou en les envoyant à la chambre.

— Nous n'avons aucune preuve, dit Prince.

— Pas de preuves ? (Il se tournait, convulsé de rage.) Vous vous foutez de ma fiole ? Regardez sa gueule ? C'est pas une preuve, ça ? (Il leva les bras, montrant ses mains aux doigts ouverts.) Laissez-la-moi, et par Dieu ! je vous sers de domestique jusqu'à la fin de vos jours... Des années que j'attends ça, et il y a deux ans cette fuite idiote, misérable, qui m'est restée sur l'estomac. Juste avec mes mains... Elle souffrira même pas et c'est dommage.

— Sammy, prenez garde !

Distraits par les hurlements de Kanazi, ils avaient à peine vu la femme se redresser, arracher du mur une sorte d'étui de bois hindou à deux manches. Tirant la partie supérieure, elle s'élança, lèvres tordues, la lame tenue de bas en haut. Kanazi cria quand la pointe lui déchira le bras, glissant le long de sa main, ouvrant une large tranchée écarlate. Il renvoya la femme contre le mur d'un terrible coup de pied au ventre, et elle s'affala, montrant de rares dents cariées. Dex s'élança, mais Kanazi tirait déjà sur elle, le regard dément, l'arme bondissant par sept fois dans son poing.

— Comme une chienne ! Là... comme, une...

Prince lui arracha le pistolet des mains, se tacha de sang, tourna la tête vers la vieille femme. Tout le haut du crâne avait sauté et des amas de cheveux blancs étaient plaqués contre le mur. Dex tira vivement sur l'une des tentures vieil or du hall, la jeta sur le corps. Prince demeura une seconde ou deux trop secoué pour pouvoir réfléchir, examina les blessures de Kanazi ; c'était sérieux.

Dex arriva, écœuré. En quelques dizaines de minutes, tous leurs projets avaient basculé. Il était clair en tout cas que cette fois « l'Expédition » avait intérêt à quitter d'urgence le Cercle de Fer.

— Vous avez vu comment elle m'a suriné, cette salope ? Heureusement encore que j'ai levé la main...

Le bras était largement ouvert et l'auriculaire à demi détaché. Du sang couvrait déjà le parquet et les meubles, Prince étant incapable de réfréner l'agitation de Kanazi qui marchait à présent furieusement de long en large.

— Bon Dieu ! arrêtez...

Il effectua un premier pansement d'urgence. Dex essaya de réagir. Le temps pressait. Il pénétra dans l'autre pièce et ils entendirent des marches craquer, des portes s'ouvrir, se refermer. Il réapparut cinq ou six minutes plus tard, secouant la tête.

— La maison est vide... Drieux, où se trouve cette fameuse salle d'opération ?

Le Français était blafard, décoiffé, fixant un œil hagard sur la flaque de sang qui s'élargissait près de la forme tassée sous la tenture.

— Je n'ai jamais rien vécu d'aussi horrible que cette soirée...

Prince finissait de soigner Kanazi, enfouissant lui-même tant bien que mal dans la ceinture de l'Israélien ce qui restait de sa chemise déchirée dont les pans avaient servi de pansement de fortune. Il insista.

— Alors, cette salle ? Où est-elle ?

— En bas, se décida à répondre Drieux, tapant faiblement le sol, de son pied.

— J'ai vu une porte qui ouvrait sur le sous-sol, se souvint Dex. Mais elle est fermée.

Drieux désigna la femme avec un bref frémissement de répulsion.

— Elle porte toujours le trousseau sur elle. Autour du cou.

Dex hésita, puis se résigna à aller fouiller sous la tenture vieil or. Ils perçurent un cliquètement, le virent tirer sur quelque chose. Sa main émergea, luisante, écarlate, tenant un trousseau ensanglanté.

— Il... y a de l'eau, souffla Drieux. Sur la gauche. Le petit réduit.

Dex rinça sa main, en même temps que les clefs, et ils passèrent dans un couloir aux murs couverts de tableaux. Les plus remarquables étaient un Renoir, et deux Courbet, tous trois à première vue authentiques. L'extrémité du couloir était barrée par une porte massive et Dex tâtonna un peu avant de trouver les bonnes clefs.

— *Trois* serrures, vous vous rendez compte, dit Kanazi.

Ils trouvèrent l'interrupteur, descendirent des marches couvertes de moquette épaisse beige, lentement atteints par une âcre odeur de protoxyde et d'éther. La moquette cessa, faisant place à un passage dallé de caoutchouc vert le long duquel s'ouvraient plusieurs autres portes, toutes fermées à clef.

La première révéla une pièce occupée par un énorme appareil de radioscopie, made in U.S.A. La seconde semblait être un dépôt de matériel chirurgical. La troisième les stupéfia : sous un scialytique scintillant d'une surface étonnante s'étalait un bloc opératoire, également made in U.S.A. comme n'en possédaient pas sans doute le tiers des cliniques d'Europe. Dans la salle d'opération se trouvait aussi une sorte de cage entourée de plexiglas qui pouvait être une cellule de réanimation. Rien ne manquait, y compris un meuble métallique massif de cardiopathologie à oscilloscope.

— C'est incroyable, murmura Drieux. On le disait à Doña Emma, bien sûr, mais je n'aurais jamais pensé que cela avait cette stupéfiante importance.

Prince avait pris les clefs des mains de Dex, inventoriant les autres pièces. Ils le rejoignirent dans ce qui paraissait être un bureau d'archives. Contre la paroi, se trouvait une machine à cartes perforées, flanquée d'un programmateur IBM. Prince était penché sur un classeur pivotant, tirait de très hautes fiches. Il en passa une à Dex. La carte était codée, perforée, incompréhensible. Ce qui semblait clair en revanche était les schémas de chirurgie esthétique et les clichés de rayons X agrafés à chaque carton.

— Il faut qu'on en emporte le maximum, dit Prince d'une voix frémissante de surexcitation. Qui a été opéré là, esthétique ou chirurgie normale, ça doit être fantastique à savoir...

Ils vidèrent à même le carrelage des cartons ayant contenu des médicaments et empilèrent le plus possible de fiches à l'intérieur. Derrière eux, Kanazi, qui farfouillait à travers la pièce, poussa une exclamation, se redressant en tenant des sacs de plastique à la main.

— Regardez ça ! De la schnouffe. Tout ce qu'il y a de plus authentique... Il y a de l'héro, aussi. Des kilos, ma parole ! C'est... merde ! je mets du sang partout ! Saleté de vieille peau !

— Laissez tout ça, Sammy. On a mieux à faire.

— Putain de moine, si ça fait pas mal au cœur. Il y en a pour des dizaines de millions, des...

— Venez nous aider !

Kanazi s'arracha à regret au coffre à stupéfiants, se mit également à vider les tiroirs et les

classeurs, tachant meubles et papiers de sang. En
fracturant un bureau d'acajou, Dex découvrit une
sorte de coffre d'acier. Il tenta en vain de le sortir, regarda sous le bureau, cognant une clef
contre une volute sculptée qui rendit un son mat.

— Sacrées précautions... Les pieds sont d'acier
et réunis on dirait au coffre lui-même. Ça doit le
fixer au plancher !

— Savez-vous l'heure qu'il est ? souffla Drieux,
angoissé. Presque quatre heures du matin.

Dex jeta un regard sur sa montre, hésita, se
tourna vers Kanazi.

— Vous allez sortir et aller jusqu'à l'hôtel en
essayant de ne pas vous faire repérer, Sammy.
Réveillez Mme de Saint-Prades, dites-lui de ras-
sembler tout le monde pour... disons dans deux
heures. Qu'elle le fasse discrètement.

— Je reviens ici, après ?

Prince se retournait, anxieux, se souvenant des
quatre morts au pied de la colline.

— Monsieur Drieux, comment pourrions-nous
retarder le moment où on va retrouver les gens
d'*Eiden* ? Je veux dire... où pourrait-on à votre
avis dissimuler les corps ?

— J'y ai pensé, dit Drieux se passant nerveusement une main au visage. Une seule solution...
(Il regardait Kanazi.) Il faudrait que l'un d'entre
nous aille récupérer sur le petit chemin de Witmarsum la Volkswagen de ces... de ces pauvres
garçons, et qu'il la ramène en silence. Nous les
chargerions à l'intérieur.

Prince l'observait. Tout était allé très vite, et
Drieux s'était laissé rattraper par son destin, forcer

la main. A présent, il disait « quelqu'un d'entre
nous »...

— Après ?

— Il y a des étangs qui longent le marais à
deux cents mètres d'ici. Des mètres et des mètres
de vase...

— C'est bon, *ça*, dit Kanazi. Ça nous laisserait
quelques heures.

— Ramenez toujours la Volkswagen à proximi-
té, décida Prince. On verra ce qu'on fera. Demandez
également qu'on vous refasse le pansement.

Kanazi sortit et ils entendirent le léger grincement de la porte qui s'ouvrait. Dex s'attaqua
au coffre, essayant toutes les clefs. Aucune n'allait...
Pour cette serrure-là, Rienhardt paraissait n'avoir
fait aucune confiance à sa domestique, ex-Führerin.

Il se redressa en nage.

— Il faut pourtant qu'on l'ouvre.

— Il va faire jour dans une heure, s'affola à
nouveau Drieux. Et si une patrouille repère ma
voiture, la police viendra immanquablement jusqu'ici.

Prince l'étudia une seconde. Les années avaient
finalement fait de l'ex-major LVF un vieillard au
bout de son rouleau. Il vint à son tour examiner
le coffre. La serrure était à pompe, et d'un modèle
qui ne semblait pas à première vue si extraordinaire.

— Il faut sacrifier le bureau. On y verra plus
clair.

Il s'arc-bouta pour arracher le dessus d'acajou,
le soulevant avec peine. Dex l'aida, et ils finirent
par avoir raison de la plaque épaisse, démolissant

aussitôt après les parois du meuble à coups de chaussures, balançant les tiroirs au sol. Le coffre apparut, effectivement fixé au sol, par l'intermédiaire des deux pieds droits à âme métallique du bureau. Prince examina attentivement la serrure, découvrit sur la gauche l'inscription gravée « Songers & Son's - Chicago-III ».

— Ça ne vaut même pas un *Fichet* d'avant-guerre. On devrait en venir à bout !

Ils se succédèrent devant la petite paroi blindée, essayant en vain de crocheter la serrure. Puis Prince écarta Dex, tira le 32 de sa poche, vérifiant le chargeur, le remplaçant par un autre plein.

— Pas d'autre solution.

Ils reculèrent et Prince pressa la détente, les détonations faisant un bruit infernal dans le couloir. A la quatrième balle, la serrure était déchiquetée, hérissée d'arêtes métalliques. Dex s'arc-bouta sur la paroi, mobile. Prince vint l'aider et brusquement, la petite porte d'acier céda.

Le meuble était rempli de papiers et d'énormes liasses de dollars. Ils écartèrent l'argent, tirant les documents par pleines poignées. Ils étaient jaunis, codés, à première vue indéchiffrables. En feuilletant une liasse plus récente, Prince sifflota : une lettre dactylographiée, en allemand, datée de « Marechal-Rondon, d. August 16.70 ». Il s'agissait de recommandation pour la construction d'un groupe scolaire à Blumenau. La signature portait un énorme B suivi d'un n minuscule.

— Août 1970, fit-il.

— Il y en a d'autres, découvrit Dex, incrédule. Ventes de café, de lots de terrain... également de

cette année. Là, promotion immobilière à Brasilia,
production de maté à... (Il tendit la feuille.)
Fazenda v.I. 29 septembre 1970.

Toutes les lettres étaient signées B.n. Prince
se tourna vers Drieux.

— A votre avis, commandant... Bormann ?

— Je... ne sais pas, chuchota Drieux, très
blême. Bien qu'à mon avis, ce soit... ridicule
d'imaginer cela.

— Des comptes bancaires, annonça Dex. Banques de Curitiba. Transfert Porrentruy... Transfert
Porrentruy... Transferts Interlaken, Zurich. Deux
millions deux cents mille francs suisses... Un sacré
paquet ! Là ! Un transfert Barclay's/Miami, Bank
of America, New York. Et ça... (Dex parcourait
une feuille, les yeux ronds.) Copie d'un rapport
sur l'infiltration d'agents de Castro trop curieux
dans le Cercle...

Ils empilèrent les papiers dans la boîte de carton, découvrirent une autre liste de noms en clair,
suivie de numéros.

— Dieu du Ciel, dépêchez-vous ! implora
Drieux. Il est près de cinq heures du matin.

Prince, en enfouissant d'autres liasses dans la
boîte, laissa échapper une enveloppe de papier
fort, la ramassa, levant machinalement le rabat et
en tirant des photos : certaines montraient un
couple, l'homme jovial, grassouillet, d'une cinquantaine d'années, le menton orné d'une courte
barbe à la Tartarin, souriant largement et tenant
contre lui une jolie fille d'environ vingt ans.
Auprès du couple, sur d'autres photos, se tenait la vieille femme qu'avait tuée Kanazi, un

sourire de bonne aïeule sur sa face parcheminée.

— Ça, dit Prince, estomaqué, tendant une photo de grand format.

Dex y regarda à deux fois pour s'en convaincre : le masque mortuaire d'Adolf Hitler, indéniablement, sans le moindre doute.

— C'est... incroyable ! Tous les historiens affirment qu'il a été incinéré dans le bunker immédiatement *après* son suicide. Comment aurait-on pu prendre ce masque ? Qui et quand ?

Des grincements s'entendaient dans la maison, et ils se dressèrent, Dex arrachant son 32 de sa poche et se plaquant au mur, Prince se rejetant également de côté, entraînant Drieux.

Kanazi entra en coup de vent, décoiffé, couvert de terre et de boue.

Ils rempochèrent leurs armes et Dex montra la photo.

— Regardez bien ce cliché, mon vieux... Je présume que vous avez dû étudier dans vos services les derniers instants de la mort d'Hitler ? Avez-vous jamais entendu dire qu'on ait eu le temps de faire un masque mortuaire sur lui ?

— C'est fou... cette photo, dit Kanazi, bouche bée. Non. Jamais entendu dire cela... (Il les regardait avec une sorte d'effroi dans le regard.) M'est avis qu'on est tombés sur une sacrée mine d'or, en visitant cette baraque.

— Maintenant en tout cas, il faut foncer, dit Prince, balançant les photos dans la boîte de carton. Vous avez prévenu Mme de Saint-Prades ?

— La pauvre chère vieille dame semble regretter ses bonnes œuvres, dit Kanazi. Elle est dans tous ses états. (Il fouilla dans sa poche, se souvint qu'il n'avait plus de pilules.) D'autant qu'il y a un truc bizarre... Quelqu'un l'a appelée au téléphone longue distance... De Rio.

— Quoi ? (Prince s'avança vers lui.) De Rio ? Quelqu'un qui voulait quoi ?

— Discuter avec l'un d'entre vous, dit Kanazi gravement. Quelqu'un qui parlait français... hésitait. Il causait à mots couverts, mais elle a compris que c'est de vous dont il s'agissait. Le type a dit que c'était important, qu'il rappellerait dans la matinée.

— Dans la matinée, hein ? fit Dex. Qu'est-ce que c'est que cette histoire ?

— Dans la matinée, nous ne serons plus là, dit Prince.

Dex demeura soucieux une seconde ou deux, désigna le couloir et les escaliers à Drieux.

— Montez. Vous venez avec nous... Où se trouve cet étang ?

— Vous cassez plus le bonnet au sujet de l'étang, dit Kanazi. Le travail est déjà fait. Tout flanqué dedans. Les quatre pauvres cloches ont été avalées avec leur bagnole par un machin noirâtre et gluant qui ressemblait à un aspirateur, tellement la voiture s'est enfoncée vite !

Ils sortirent dans l'aube naissante, se dirigeant vers la voiture de Drieux, Dex et Prince portant une boîte de carton.

— S'il y a parmi nous des croyants, que ce soit en Jéhovah, Vichnou ou le Christ, c'est le moment de prier, dit Kanazi. Pour la matinée qui arrive, on va en avoir sacrément besoin.

17

Après l'avoir laissé conduire cinq heures consé-
cutives, Prince remplaça le petit Brésilien au
volant. L'homme était absolument terrorisé, ne
comprenait rien ni à leur départ précipité ni à
cette course insensée. On lui avait même refusé
de s'arrêter pour satisfaire un besoin naturel, il
avait voulu prendre les passagers à témoin, gesticulant et vociférant, s'était heurté à un mur de
silence.

A treize heures, ils franchirent la frontière
symbolique séparant l'Etat de Santa-Catarina de
celui du Parana, traversèrent Ponta-Grossa, ville
assez importante, et à en juger les panneaux muni-
cipaux « grand nœud routier et ferroviaire São
Paulo/Montevideo ». Des cars de police station-
naient aux carrefours, mais les flics se contentèrent
de jeter un regard très soupçonneux en direction
du car. Dex se retourna sur eux.

— On ne semble pas être encore signalés.

— Le *Cercle de Fer* est à présent loin vers le

sud, dit Kanazi paraissant parler avec effort. Le
plus gros, côté nazi, est passé. Mais ici, on attaque
le secteur de la guérilla. Ça grouille de flics. On
peut avoir les *Dops* au cul avant peu.

Il était pâle et fiévreux. Dex avait examiné
ses blessures du bras et de la main à plusieurs
reprises, était pessimiste : les plaies, davantage
souillées par la vase et la terre lors du transport
des corps des quatre jeunes Allemands d'*Eiden*,
étaient noires, suintaient.

— Tôt ou tard, il faudra s'arrêter, dit-il à
Prince. Impossible...

— Pas question ! coupa Kanazi. N'importe quel
toubib verrait que c'est une lame qui a fait ça...
Aussi sec, il préviendrait les flics. Ici, ça chauffe.
Tout le monde se méfie de tout le monde !

Mme de Saint-Prades vint les rejoindre. Elle
était échevelée, son tailleur Givenchy à présent
taché, très froissé.

— Mes enfants, il va falloir stopper. Personne
n'a mangé ni bu depuis ce matin six heures.
M. Kozovsky en outre est malade.

— Ce vieux satyre ! grommela Sarah. Refilez-
lui une minette ou à défaut un joli garçon, à
l'aveugle, vous allez voir s'il est malade !

— Madame Rachid, je vous en prie...

— Il a raison, Sarah, dit Bensala. On est tous
emmerdaillés, c'est pas le moment...

— Et on fait quoi pour ça ? clama la grosse
femme. On était venus avec des tas de projets,
y en a quatre ou cinq qu'ont été faire la foire
dans un dancing avec des poules, ils racontent
qu'il y a eu soi-disant du grabuge et, aussi sec,

après, on fout le camp comme si on avait tous
les Palestiniens d'Arafat aux fesses !

Prince leva les yeux vers le pare-brise. Il y
voyait le reflet gesticulant de la mégère ex-*Stern*,
demeurait silencieux. Il accrocha le regard de
Kanazi... Ils n'étaient que quatre à savoir de
quelle fantastique importance avait été la nuit. A
aucun moment, à Paris, ils n'auraient osé espérer
pareil résultat. Un résident important du *Cercle
de Fer* sur lequel ils pouvaient faire pression,
outre une masse énorme de documents. Ces derniers étaient dans deux des valises. Et il s'agissait
à présent de les ramener en France. Il regrettait
que les gens du groupe aient joué le rôle de
comparses, mais les circonstances avaient décidé.

— Si elle savait, la grosse, dit Kanazi à voix
basse. En une nuit, on a fait plus de travail que
cinq cents Wiesel en vingt ans.

— Ce n'est pas encore dans la poche, bouclez-
la. Il faut vérifier d'abord l'importance des
papiers.

— Dites ! vous me charriez, grogna Kanazi,
agressif. *L'importance ?* Je suis sûr qu'en analysant
seulement les courriers d'affaires et les comptes
bancaires, vos services vont avoir tous les anciens
grossiums au bout de leurs flingues, ou c'est tout
comme, en moins de deux...

— Il n'est aucunement question de « flingues ».

— Ouais !... Peut-être seulement de nouveaux
marchandages politiques, pas vrai ? « Fais gaffe, je
connais ceci sur les millions que tu as balancé à
celui-ci, je sais où il est, alors refile-moi ta voix
à la Conférence du Sud-Est, ou je m'en vais cau-

ser dans le nez à Castro, pour lui lâcher le
paquet. » Ou quelque chose dans le même genre.

Prince ébaucha un sourire, laissa Kanazi avaler
deux ou trois pilules à la file. Il en aurait besoin
pour tenir... Rien n'indiquait qu'il pourrait être
soigné sans danger avant d'avoir franchi la frontière paraguayenne.

— Vous faites erreur, mon vieux, fit-il, la tête
levée, paraissant chercher quelque chose dans le
ciel. Complètement.

— Il faut qu'on s'arrête, répéta Dex. Drieux
aussi a l'air assez mal en point.

— Au prochain bled, dit Prince. De toute
façon, il nous faut de l'essence. Pendant ce temps
quelqu'un ira chercher à boire et à manger.

— Je m'en occuperai, décida Mme de Saint-
Prades qui avait entendu.

— En tout cas, j'ai votre parole, hein ? dit
Kanazi à voix basse, un peu menaçant. Sans nous,
vous n'auriez rien eu, rappelez-vous bien de ça ?

— Si les documents parviennent en Europe,
vous en aurez photocopie, affirma à nouveau
Prince. Nous les photographierons *ensemble*. Dès
notre arrivée.

— Dieu du Ciel ! s'exclama Mme de Saint-
Prades. Regardez...

Prince percevait depuis de longues secondes un
bourdonnement lointain, ne parvenant pas à le
situer. Il aperçut brusquement le petit avion qui
volait au-dessus d'eux, tanguant des ailes... Un
Piper Comanche.

— Les flics ! dit Bensala d'une voix étranglée.
On est bons...

— Boucle-la, hey cloche, dit Kanazi, se redressant et filant vers l'arrière, se retenant aux sièges de sa main valide. Si c'étaient les poulets politiques, y a longtemps qu'ils nous auraient canardés. Et on a passé quatre villages depuis la frontière de l'Etat ! On aurait été coincés avant.

Prince était de cet avis : l'avion paraissait vouloir simplement attirer leur attention, plongeant sur eux et tanguant dangereusement des ailes à ras des fils téléphoniques qui bordaient la route. Une tache rouge se détacha tout à coup de la carlingue. Ils crurent d'abord à un explosif, une grenade et Sarah poussa un cri de terreur.

— Ça y est ! C'est...

— Ferme ça, dit Kanazi. Parachute... Enfin tout comme.

Prince écrasa le frein. L'espèce de foulard s'était d'abord déployé, puis tombait en torche dans un champ proche. Il se leva, et ouvrit la portière, descendit en dépit des conseils effrayés de Mme de Saint-Prades.

— Faites attention ! Ça peut être un piège.

En courant, Prince aperçut une main qui s'agitait dans l'avion, repéra le foulard entre des sillons où poussait un coton rachitique et brûlé. Un objet lourd se trouvait au bout des cordelettes. En le détachant, il vit qu'il s'agissait d'un bout de ferraille, uniquement destiné sans doute à servir de poids pour équilibrer la descente. Il déplia le papier qui l'entourait.

« *Ambassade Rio urgent. Nous vous survolons, impossible atterrir. Extrême danger. Un contact avec toutes informations est à votre poursuite depuis hier. Impossible vous joindre. Sur route, derrière. Attendez prochaine intersection, camouflez votre véhicule. Bonne chance. »*

Dex arrivait en courant et Prince lui passa le message. Le Piper les survolait en rase-mottes et Dex agita le bras en signe de remerciement. L'avion reprit de la hauteur et disparut vers le nord.

— Qu'est-ce que ça signifie ? Que veulent-ils dire par « contact » ?

— Le gars qui a téléphoné dans la nuit, rappela Prince d'un air sombre. Il a dû se pointer à Doña Emma et apprendre qu'on avait déjà filé. Il a la radio, l'avion aussi et nous pas.

Ils revinrent en courant en direction du car. La moitié des passagers en étaient descendus, pillant une orangeraie proche, revenant avec des fruits, la plupart encore verts.

— Vous allez attraper une sacrée ch... avec ça ! prédit Kanazi. Et magnez-vous, on repart !

— Plus loin, vous aurez peut-être l'occasion de manger, dit Prince. On va s'arrêter dès qu'on le pourra.

— S'arrêter ?

Dex remarqua le visage las de Prince et prit d'autorité sa place au volant. Deux ou trois kilomètres plus loin, ils aperçurent un chemin de terre qui montait vers des collines plantées de manioc tournant sec en direction d'un bouquet touffu de figuiers sauvages.

Dex prit le virage sans avoir suffisamment ralenti, et des hurlements mêlés à un fracas de bagages dégringolants lui parvinrent.

— Moi, plein les bottes, j'en ai, de votre soi-disant « circuit antinazi » ! se fâcha Sarah. Ah ! si on m'avait dit ça, rue Richer. Vous parlez d'une caravane de sagouins !

Dex freina, coupa le contact, et le pépiement d'innombrables oiseaux emplit le silence. Une seconde, ils s'attardèrent sur l'extraordinaire chatoiement des ailes. Les oiseaux partaient, affolés par bandes, se heurtant en piaillant aux branches, petit Saphos au bec de colibri, huppes hérissées, topaze, et même calaos à l'énorme bec agressif.

— Les figues sont mûres, découvrit Kanazi. C'est ce qui les attire. On va pouvoir s'en payer aussi !

Ils descendirent, chassant les derniers oiseaux. Dex, Prince et Drieux s'écartèrent, suivis de Kanazi qui grimaçait.

— J'aime pas me plaindre, mais on dirait que mon bras commence à pourrir... On doit pourtant bien pouvoir trouver dans le coin un antibiotique quelconque.

— Faites voir, dit doucement Drieux. Jadis j'ai fait quelques études de médecine.

Kanazi lui abandonna son bras.

— C'est très imprudent, découvrit Drieux, l'air effrayé. Vous auriez pu, au moins, laver ses plaies, après avoir pataugé dans le marais.

— Ah ! foutez-moi la paix, s'impatienta Kanazi. J'aime autant aller bouffer des figues aussi.

Il partit, rafistolant tant bien que mal avec l'aide de ses dents le pansement noirâtre.

Dex et Prince revinrent prudemment en direction de la route. Ils durent attendre près d'une heure, allongés dans le fossé, voyant passer de nombreux camions et d'antiques voitures déglinguées. De loin, ils reconnurent deux cars de police, s'aplatirent dans le fossé. Kanazi qui arrivait en criant quelque chose plongea lui aussi vers une rigole d'irrigation.

Les flics passèrent à petite vitesse, regardant de tous côtés, disparaissant derrière un raidillon.

— Ça, c'était pour nous, et ça fait pas un pli ! chuchota Kanazi. Votre message, c'était peut-être un piège, oui !

— Allez prévenir les autres, fit Dex. Qu'ils ne restent pas dans les champs, regagnent le car.

Kanazi ne chercha pas à comprendre, fit demi-tour. Une Chrysler arrivait à vitesse lente. L'immatriculation D.F. - B. les frappa aussitôt. *District Fédéral*. Un couple était à l'avant et c'était la femme qui conduisait. Prince poussa une exclamation sourde, s'élança.

— C'est Arnalo !

Dex reconnut à son tour l'antenne *Sdec* à Rio de Janeiro, puis la femme. Celle-ci freina sec en les voyant et se rangea. Arnalo bondit de la voiture, pâle et agité.

— Po po po ! je vais devenir votre Saint Michel l'Archange, moi si ça continue ! On a eu un sacré mal à vous rattraper. C'est « *Epimaque* » qui vous a prévenus ? Oui, c'est vrai, vous ne savez pas ! C'est le nom de code du taxi de l'ambassade. Allez, il faut foncer !

Prince durcit les mâchoires.

— Expliquez-vous. Bonjour, miss Blomdhal...

Elle leur adressa un sourire inquiet. Elle était

plus mince depuis que Prince l'avait vue à Rio, trois ou quatre mois auparavant, mais toujours aussi pulpeuse, ravissante.

— Expliquer ? éclata Arnalo, sauf votre respect vous êtes dingue, mon colonel. (Kanazi arrivait et Arnalo devint méfiant.) Qui c'est, ce sauvage aux yeux glauques ?

— Sammy, rejoignez le car ! ordonna Dex.

— Vous vous êtes arrêtés dans une agence de voyages de Paranagua, et je sais où, reprit précipitamment Arnalo, un peu affolé. Enfin un coin où on vous a piqué vos empreintes de pouce ? (Il vit Prince blêmir, n'attendit pas.) Bon ! eh bien, vous avez les *Dops* aux fesses gros comme le bras.

— A cause de quoi ?

— Non, mais vous rêvez ! Le train-prison pour Fortaleza, vous croyez qu'ils l'ont passé aux profits et pertes ? Il fallait être tout à fait fou pour revenir au Brésil, après ça.

Prince demeura une seconde silencieux. Bien sûr, il l'avait envisagé. Mais d'imaginer que la police politique voulait le coincer à cause de l'histoire du train l'ennuyait. Arnalo agita la main devant ses yeux.

— Heup, réveillez-vous et puis, fissa ! Votre car est signalé, et quand j'ai vu les voitures me doubler il y a dix minutes, j'ai bien cru que vous y passiez. C'est miracle que vous ayez pu même franchir le rio Iguaçù. Ici heureusement ils nagent toujours en pleine pagaille.

Il désigna la Chrysler.

— Mon colonel, c'est vous qui êtes principale-

ment en cause pour le moment ! Montez. Siren
va vous conduire à Foz de Iguaçù, et je vous
rejoindrai comme je pourrai et quand je pourrai.
Vous avez des bagages ?

Dex et Prince échangèrent un regard.

— Moitié, moitié, décida Dex.

— Bon sang ! vous croyez que c'est le moment
de jouer aux devinettes ?

— Oui, j'ai des bagages, dit Prince, gravement.
Importants.

— Alors, transbordez ! Moi, je monte dans
votre casserole bariolée jusqu'à Prudentopolis.

— Pourquoi ne pas aller à Foz également ?
s'enquit Dex.

— Vous croyez qu'on dort, pendant que vous
vous baladez ? s'énerva Arnalo. On a déjà prévu
un autre car là-bas. C'est loué, affrété, payé ! Vous
jetterez celui-là aux ordures et vous déménagerez
tous. Le bahut aux dessins est trop dangereux,
repéré partout depuis midi !

18

Vers quinze heures, ils aperçurent les premiers panneaux signalant Prudentopolis, et la jeune femme désigna la boîte à gants, du menton.

— Fouillez là-dedans, colonel. Vous avez un nouveau passeport que vous a préparé l'ambassade. Ça m'étonnerait qu'on nous arrête, mais il faut tout prévoir. Vous ne vous appelez plus Ricker, mais Lemaistre. (Elle lui lança un coup d'œil oblique.) Autant vous prévenir tout de suite que je suis Mme Lemaistre. Nous habitons Brasilia où vous êtes architecte.

Dans les faubourgs de la petite ville, elle emprunta des ruelles misérables, cherchant semblait-il à éviter le centre. Il feuilletait le passeport, sans enthousiasme.

— Pas de fausse barbe ?

— Non. Mais des lunettes et un béret pour que vous ressembliez davantage à la photo.

Il rouvrit la boîte à gants, ajusta les lunettes et mit le béret, jeta un coup d'œil dans le miroir lui faisant face.

— Content de votre époux ?

— Vous êtes acceptable. Moins séduisant tout de même que l'an dernier à Rio.

Ils roulaient à travers d'effrayants bidonvilles et des gosses loqueteux les poursuivaient.

— Vous ne pensez pas que votre voiture est voyante par ici ?

— Nous ne trouverons pas de contrôle, c'est le principal.

Ils sortirent effectivement de la ville sans avoir aperçu l'ombre d'une casquette plate, roulant de nouveau entre d'interminables champs de tabac. La nuit tombait lorsqu'ils contournèrent Foz de Iguaçù. Les faubourgs qu'ils longeaient étaient étonnamment bordés de boutiques aux inscriptions arabes et on pouvait se croire à Istanbul ou Bagdad.

— Fichu coin du Brésil, dit Siren Blomdhal. Fief des Syriens, des Libanais et des Iraniens. (Elle ralentissait, et il l'observait avec attention ; la fatigue, ses yeux qui papillottaient la rendaient adorable.) Vos amis nazis du reste ont énormément de contact avec eux. C'est la zone frontalière, vous savez. Tout le monde vit de trafic, politique comprise.

Ils dépassèrent la petite cité, roulant soudain sur une *autopista* à quatre voies. En face de lui dans la nuit tombante, Prince aperçut les chutes d'eau les plus fantastiques qu'il ait vues.

— Niagara et Zambèze enterrés, dit-elle en freinant devant une longue enfilade de bungalows surmontés d'un panonceau « *Santa-Maria Motel* ». Savez-vous que c'est le coin des lunes de miel ?

— Notre mariage a été célébré de fraîche date. Ça tombe bien.

Elle stoppa devant l'une des bicoques de bois, laissa aller un instant sa tête contre le volant. Il lui avait à plusieurs reprises proposé de prendre sa place mais elle avait refusé ; il n'avait plus insisté.

— Fatiguée, n'est-ce pas ? Vous ne l'avez pas volé.

— Je suis contente que nous nous en soyons tirés, dit-elle en le regardant de côté à travers des mèches folles de cheveux blonds. Je vous devais bien ça... (Elle posa complètement la tête entre ses bras repliés.) Je n'ai pas oublié qu'après la mort de Camargo, vous auriez pu... disons me faire liquider.

— Arnalo vous avait pris sous sa protection, dit-il comme une explication.

Elle se redressa et descendit, lui tendant la main.

— Venez. Ici, c'est sûr... Et notre arrivée est attendue.

Il quitta la voiture à son tour. Le fait est que personne n'était même sorti du bureau du motel. Siren poussa une porte et ils se retrouvèrent dans une pièce fraîche aux parois de rondins vernis. Elle se dirigea vers le fond de la chambre, poussa un interrupteur.

— Je vais vous faire couler un bain... Je pense qu'après toutes ces aventures, vous devez être également pas mal éreinté ?

— Ereinté, dit-il, sincère.

En sortant de la salle de bains, il trouva des

sandwiches, de la bière et du whisky disposés sur
la table proche du lit. Il avala les sandwiches,
vérifiant sa valise : rien n'y manquait. La Sué-
doise entra sur ces entrefaites, cilla mais ne fit
aucun commentaire au sujet du contrôle.

— Tout s'est bien passé pour vos compagnons.
Le nouveau car les attendait et ils ont pu tout
transborder sans encombre. Un message téléphonique était à l'office.

— Contrôles de police ? demanda-t-il la bouche
pleine.

— Il paraît que oui. Mais je n'ai pas de
détails. Je pense que vous étiez le seul suspect.
Hors du *Cercle de Fer*, les *Dops* se fichent complètement de ce qui n'est pas leur chère lutte anti-
guérilla.

Elle éteignit, et alla remonter les stores à
lames de plastique, soulevant la baie vitrée. Un
mugissement assourdissant emplit la chambre ;
face à eux, des millions de mètres cubes d'eau
écumeuse dévalaient en grondant d'une falaise
abrupte.

— Regardez bien, dit-elle. Juste en face, c'est
le Paraguay... A quatre kilomètres au sud, la République Argentine. (Elle se retourna.) Arnalo m'a
dit de quoi vous vous étiez occupé.

— Il a eu tort...

— Il me fait confiance, vous savez. Pas vous ?

— Prenez un verre, fit-il, désignant le whisky.
(Elle ne bougeait pas et il se décida à la servir.)
Continuez...

— Il a ajouté qu'en vingt ans il y avait eu
des douzaines de tentatives pour... enfin enlever

des nazis criminels. Les *gros* criminels. Le Brésil s'est toujours plus ou moins opposé à exécuter les mandats d'extradition émanant entre autres de la République fédérale allemande. Alors, selon les régimes ou les années, les gens kidnappés étaient dirigés soit vers l'Argentine, soit vers le Paraguay... Ils partaient par le Parana, sur les *lanchas*. C'était infiniment dangereux.

— Peu sont arrivés, n'est-ce pas ?

— Très peu. Et des tas de légendes se sont forgées autour de ces pseudo-disparitions.

Elle vint s'asseoir sur le lit, verre en main.

— *Skol*, dit-elle plongeant ses yeux émeraude dans les siens. Vous vous souvenez quand vous m'avez sauté dessus à Niteroi ?

— Siren, vous ne manquez pas de culot. Vous m'aviez fait du rentre-dedans devant la piscine de Camargo. C'est vous...

— Peuh ! n'en parlons plus, dit-elle désinvolte, s'allongeant auprès de lui. Camargo est mort, le temps passe, et moi je vieillis. Je trouve que tout va trop vite...

— Arnalo ne serait pas content, dit-il, la voyant se blottir contre lui en soupirant.

— Il parle toutes les cinq minutes de me quitter, fit-elle comme une excuse. On est comme chien et chat.

Le grondement des chutes leur parvenait presque effrayant, couvrant les autres bruits. Elle abandonna le verre au sol, entourant entièrement son corps d'un bras parfumé.

— Eric, tu es terriblement brûlé, et *cette fois* tu ne reviendras plus, n'est-ce pas ?

— Quand les Maréchaux partiront, peut-être...

— Alors, ce n'est pas demain la veille ! (Elle
se collait à lui, implorante.) *Il* va revenir, tu le
sais.

Le téléphone sonna dans la pièce, et il hésita
à décrocher, se décida, peu tranquille. Il reconnut
aussitôt la voix d'Arnalo à travers une intense
friture.

— Colo... Bon, excusez ! On respire en tout
cas ! Ça va... Je vous appelle de Bernardo...
koyen...

— Où est Bernard...koyen, comme vous dites ?
Je n'entends rien !

— Bernardo de Irigoyen, articula Arnalo, très
loin. Nous sommes au poste de douane argentin...
Oui, changement de programme. On a discuté
avec... enfin qui vous savez ! Avec toute cette
smala, impossible de franchir le pont sans se faire
repérer. Ne vous en faites pas. Ils prendront le
car jusqu'à Posadas, puis de là le train les conduira
à Buenos Aires. J'ai déjà des places *Air France*
pour eux. Ah, on vous fait dire aussi que le type
au bras amoché a pu être soigné.

— Champion, Arnalo, dit Prince, un peu agacé
par la présence trop proche de Siren. Merci pour
tout...

— Po po po; c'est mon job ici, colo... excusez.
Mais n'y revenez plus, hein. (Il hésitait.) Et pour
vous, tout se passe bien ? (Siren promenait sa
bouche au coin des lèvres de Prince et il l'écarta.)

— Cela se passe parfaitement, dit-il. Non.
Aucun ennui.

— Alors, adios. Siren est au courant de ce

qu'il faut faire, mais passez-la-moi tout de même.

Prince lui tendit le combiné, prit l'autre écouteur. La voix d'Arnalo se fit brusquement hargneuse.

— Ecoute, toi ! Sois moins con que d'habitude. Tu l'habilles de noir, hein, t'entends : de noir, contraire de blanc. Marco est sur place, te donnera ce qu'il faut. Tu attends sept heures demain matin ; la relève des Guaranis. Je suis tuyauté. Joâo, Pessoa et Quental seront en amont. Paco est à la ligne-limite avec Sousa et c'est deux cloches. Compris ?

— Ça va, j'ai compris, pas la peine de hurler, dit-elle tout aussi hargneusement.

Dans l'écouteur, Prince reconnut tout à coup la voix de Dex, reprit le combiné.

— Bon, le major est tout à fait convaincu à présent, fit Dex à travers la friture. Je le ramène. Il semble avoir hâte de voir son fils...

— Rendez-vous à Doumer, dit Prince amèrement. C'est idiot qu'on ait partagé les bagages. Les tiens sont à présent en sûreté. Je... Allô !

— C'est coupé, dit Siren, se rallongeant.

Il raccrocha aussi, et elle l'enlaça.

— Nous avons toute une nuit... Tu te rends compte ?

Il lui enserra durement les poignets d'une seule main, penché sur elle.

— Ecoute-moi bien, Siren. Cette nuit, je dors !

Elle battit très vite des paupières, au-dessus de lui.

— Compris... Arnalo vous a tiré du pétrin, n'est-ce pas. Et tout devient difficile...

Il éteignit pour toute réponse, se déshabilla et se fourra au lit. Elle partit vers la salle de bains. Il perçut un moment après des crissements de tissu, des bruits d'eau. Elle revint en silence s'allonger auprès de lui et il sentit le corps soyeux et nu contre le sien. Elle demeura longtemps immobile, puis essaya de le faire se retourner.

— Ecoute, se fâcha-t-il à mi-voix, ce sont les... les circonstances et tu vas me ficher la paix !

— N'éclaire pas, ne bouge pas, dit-elle dans le noir. Je ne te gênerai pas, je ne t'ennuierai pas, promis.

En guise de remerciement, il se tourna sur le côté, frôla un sein tiède, laissa la main là où elle était. Siren finit par s'endormir et il en fit autant. Au milieu de la nuit, tout au moins il en eut l'impression, elle le secoua sèchement.

— Six heures quarante ! Nous passons le pont dans vingt minutes.

Il souleva les paupières, aveuglé par la lumière. Elle lui tendait une tasse de café, déjà prête, un élégant tailleur de moire grise moulant élégamment ses hanches un peu fortes. Son visage était dur, et elle désigna les vêtements sombres posés sur un fauteuil, pendant qu'il buvait son café.

— Passez cela... Ça n'est pas tellement une tenue d'architecte, mais les Guaranis que nous allons trouver de l'autre côté du pont n'y regardent pas de si près. Le matin tôt la garde est formée heureusement d'Indiens quasi illettrés. (Il se levait, et elle amorça un sourire mélancoliquement admiratif, le regardant évoluer dévêtu à travers la chambre.) De toute façon, avec une

tenue de prêtre ou de pasteur, ils laisseraient passer Dracula ou Castro en personne.

Une demi-heure plus tard, ils s'engageaient sur
l'ultra-moderne pont de l'Amitié après avoir satisfait, côté Brésil, aux vagues exigences douanières
de quelques fonctionnaires endormis. Tout s'était
passé si facilement que Prince se méfia ; peut-être
y aurait-il d'autres ennuis plus loin.

Il n'y en eut pas. Au milieu du pont, une
barre jaune était tracée, et ils passèrent sur l'inscription « Brazil/Paraguay », devant laquelle se
tenait une paire de douaniers à l'air hagard,
quelques instants avant d'atteindre le poste de
contrôle de Presidente-Stroessner, cité frontière
uruguayenne. Des Indiens en uniforme, à la mine
famélique, parurent impressionnés par sa tenue
noire, et l'un d'eux se signa. Ils passèrent sans
même qu'on leur ait demandé d'ouvrir le coffre.

— Paraguay ! claironna Siren Blomdahl, accélérant. Monsieur mon mari-pasteur, vous voilà libre !
Loin des nazis et des *Doperos*. Regardez sur la
droite...

Ils longeaient le parc somptueux d'un casino
digne de Miami ou d'Acapulco.

— C'est ici que les Maréchaux de Rio, ou leurs
lieutenants viennent perdre les fortunes volées aux
gens des favellas !

Prince se souvint qu'Arnalo lui avait parlé de
ce casino, et des liens qu'y avait l'ambassade de
France.

— Direction aérodrome, dit-elle, prenant un
virage brusque, et s'engageant dans une large avenue. (Elle souriait.) Celui du casino d'ailleurs.

Cent mètres après avoir passé les barrières d'aluminium surveillées par des gardes à la casquette griffée de « P.S.C. », Prince reconnut sans trop d'étonnement sur la piste le Piper-Comanche qui les avait survolés. Un camion-citerne rouge à la pompe bourdonnante stationnait près de l'avion, un jeune barbu blond paraissant surveiller le remplissage des réservoirs, un extincteur à la main. Il sourit largement lorsque la Chrysler stoppa de l'autre côté de la citerne.

— *Epimaque* vous souhaite la bienvenue, mon colonel. (Il posa son extincteur au sol, s'avançant, la main tendue.) Sous-lieutenant Demarchais, attaché SS du D. de Rio. Je crois qu'on a besoin de se dépêcher...

— Content de vous voir, dit Prince. Davantage que quand vous nous avez survolés hier. Se... dépêcher pour quoi ?

Il se dirigeait vers le coffre arrière, l'ouvrit. Le jeune officier jeta un coup d'œil admiratif sur Siren qui arrivait, se pencha pour tirer la lourde valise, la soupesant avec une grimace souriante.

— Pour *cela*, je suppose... Nous devions faire de l'essence à Asuncion, puis direct sur Posadas où un taxi vous attendait pour filer jusqu'à Lima, mais j'ai eu un coup de fil d'Arnalo il y a vingt minutes. Je suppose que vous aviez déjà quitté le motel...

— Un coup de fil qui disait quoi ?

— Qu'on vous « attendait » sur le terrain d'Asuncion. Un « C-4 » de La Paz et un type suspect qu'on croit appartenir à l'ambassade fédérale allemande... (Siren les observait de loin, et il baissa la voix.) Le « C-4 » est un dur de chez l'attaché militaire d'Israël en Bolivie. (Il se dirigeait vers l'avion, la valise à la main, et Prince le suivit.) Mon colonel, c'est... rare d'être contrôlé en même temps par les Juifs de Tel-Aviv et les gens de Bonn. Pourtant dans cette histoire, vous me semblez avoir poursuivi les mêmes buts.

— Ils ne sont peut-être pas d'accord sur les moyens et sur les conséquences..., commença Prince.

Son sourire s'évanouit. L'homme en salopette rouge « Esso » juché sur la citerne, qui continuait à gronder, criait en espagnol. Siren de son côté courut en direction de la Chrysler lançant un appel angoissé. Prince tourna la tête, l'échine parcourue d'un désagréable frisson : un car noir franchissait les limites du terrain, arrivant droit sur eux.

— Ça ne peut être les vôtres, dit Demarchais, estomaqué. C'est... (Il réalisa, son visage devenant grisâtre.) Ils n'oseraient quand même pas... On est au Paraguay, ici !

— Balancez ça dans l'avion, mon vieux. Et vite.

Le pilote réagit rapidement, ouvrant la portière du Piper et jetant la valise à l'intérieur. Le car noir arrivait à toute vitesse. Prince ne perdit pas de temps à imaginer qu'ils pourraient tenter de décoller, ou même de déclencher un tir style western : le véhicule stoppait déjà vingt mètres en avant de l'appareil, leur coupant la piste, bourré de jeunes gens en noir aux figures convulsées.

— Un autre genre d' « Expédition », hein ? souffla Demarchais. A huit cents mètres du casino, en plein territoire uruguayen, ils sont gonflés...

Deux des occupants du car bondissaient déjà. Le premier, la soixantaine bien sonnée, avait une figure de mutilé de guerre couturée et rosâtre paraissant partagée en deux, la gauche vivante, la droite morte dotée d'un œil glauque et fixe. L'autre œil avait la nuance et la dureté de l'acier.

— Je vois avec plaisir, vous raisonnables, *meine Herren.*

Le gros automatique vibrait dans sa main comme s'il n'avait pas eu la force de le tenir solidement, ou que son hémiplégie ait fait des ravages dans les membres supérieurs.

— La tour de contrôle nous a donné l'ordre de décoller dès la fin du plein, dit Demarchais, sourcils froncés. Dégagez la piste.

— Ferme la bouche, *Saukerl,* conseilla l'autre homme qui s'avançait. Georg, *haben Sie die Handkoffer gesehen ?*

Deux des jeunes gens en noir étaient descendus, regardant avec inquiétude du côté des bâtiments du terrain, les autres suivant la scène avec une attention haineuse.

— Ça être bonne question, dit le mutilé. *La valise ?* Butin du pillage... vol ! (Il hurla et l'automatique bascula de haut en bas.) Où être valise ?

— Nous avons déjà franchi la douane, dit Prince aimablement, mais l'air très étonné. Etes-vous fonctionnaires des douanes ?

Les cicatrices roses viraient au livide, frémissaient affreusement.

— Pas l'ironie, *Saukerl...* Valise ! Puis vous accompagnerez eux ! (Le vieil homme désignait les

jeunes gens du car.) Veulent poser questions **au**
sujet Kameraden disparus.

Prince recula d'un pas, se heurtant à la portière restée entrouverte de l'avion. Siren et l'ouvrier de chez Esso semblaient s'être volatilisés.
Rien ne bougeait du côté des bâtiments adminis-
tratifs.

— Plus vite ! cria le vieillard. Pas intérêt vous
à voir arriver police du terrain ou autre police !
Accusations nombreuses Brésil. Assassinats, les
vols !

— Nous ne sommes plus au Brésil et ces accusations sont idiotes, dit Prince. Qui êtes-vous d'ailleurs ?

— Vous savoir bien ! beugla le type, et son
arme faillit lui échapper des mains. Suis être moi
ami Doktor Rienhardt ! Médecin lui comme moi.
Vous avez saccagé... tout, massacré vieille dame
innocente ! (Il hurla et l'arme, que Prince surveillait de près, bascula à demi.) Individus abjects,
amis de Juifs... bandits !

— *Die Handkoffer ?* rappela l'autre homme.
Valise ! Sortir valise est principal.

— De quelle valise est-il question ? s'enquit
Prince. (Il lança un furtif coup d'œil vers la gauche, stupéfait de voir tout à coup Siren face à
l'ouvrier Esso qui reculait comme si on lui avait
durement intimé quelque chose, retourna vivement
la tête.) Nous avons de nombreux bagages...

— Valise *dans* avion ! brailla le second homme.
Nous sommes pas aveugles !

D'autres jeunes en noir d'*Eiden* descendaient à
leur tour, l'air circonspect, regardant attentivement

du côté des gardes du Casino. Prince feignit de
se faire une raison.

— Bon, lieutenant, je crois qu'il va falloir
s'exécuter, dit-il. Faites-leur voir après tout la première de ces sacrées valises, puisqu'ils y tiennent.
La rouge... ou la noire, par exemple.

Demarchais lui adressa un regard affolé,
comprit qu'il cherchait à gagner du temps.

— Bon, la noire, dit-il.

— Jamais me tromper, triompha le vieux à la
gueule cassée. Toujours nous les bonnes informations... Et informations, ici, de nos amis arabes
Foz de Iguaçu disaient vous aviez franchi le pont
avec belle femme ! (Il tournait furtivement la
tête.) Où être... la femme ?

— La noire, n'est-ce pas ? cria très fort Demarchais, tirant la portière.

Il fut le premier à discerner à cet instant par
les glaces opposées de la cabine le haut de la
citerne rouge qui, étrangement, se mettait en marche, un grondement d'engrenages lui parvenant
en même temps qu'un chuintement indistinct.

— *Passen Sie' mal auf !* cria l'un des hommes
en noir. *Achtung, Benzin !*

Prince discerna l'arme qui basculait, puis pivotait en même temps que son propriétaire stupéfait.
Il tournoya sur les reins, humant l'asphyxiante
odeur d'essence, plongeant sur le côté et dérapant
sur la piste, se recevant mal, sa figure raclant le
béton. Des fragments de ciment sautèrent tout
autour de lui. Les détonations se confondirent avec
un fracas de ferraille, et il crut voir le car noir
faire un violent bond en avant. Une sourde

explosion lui parvint au moment où Demarchais l'attirait frénétiquement par les épaules, sa figure barbue tout à coup auréolée de rouge comme s'il eût été cloué dans le faisceau d'un projecteur.

— Vous parlez d'une dure ! Venez... Vous vous êtes fait mal ?

Prince se cogna à la carlingue en se redressant, saisissant mal, groggy, aveuglé par la fumée, puis se pliant en deux pour tousser.

— Bon Dieu, venez !

Prince lui résista, se redressant à demi, comprenant en voyant la citerne en feu juste à l'arrière du car défoncé qui commençait lui aussi à flamber : Siren avait dû foncer avec le camion sans couper les pompes, défonçant l'arrière du car noir. Une seconde explosion sourde précéda un geyser aveuglant, et des ruisseaux grésillants coururent de tous côtés. A travers les flammes, les garçons se précipitaient hurlants, bras en avant, hors du bus, tirés, poussés, aidés par les Allemands déjà au sol et qui paraissaient avoir oublié jusqu'à leur existence.

— Attention au taxi, s'affola Demarchais, voyant les ruisselets de feu glisser jusqu'à eux.

— Ils vont brûler vifs, dit Prince. Laissez...

— Pas possible attendre ! cria Demarchais à travers le crépitement des flammes et les cris qui parvenaient. D'ailleurs... ça y est, ils décollent, de là-bas !

— Bon Dieu, lâchez-moi.

Deux camions rouges à phares tournoyants, l'un d'eux surmonté d'un canon à mousse qui commença à cracher alors qu'il se trouvait encore à

deux cents mètres de l'incendie, arrivaient à toute
vitesse. Prince balança une manchette sur la gorge
du pilote pour l'écarter, contourna l'avion. Siren
Blomdhal surgit devant lui, titubante, les cheveux
grésillants et le bas de sa robe en feu. Prince
s'élança, arrachant la jupe et le haut de moire,
s'en servant pour frotter les cheveux. Les pompiers stoppaient, hurlant en espagnol.

— Ordre d'évacuer ! cria Demarchais.

Il se précipita, aidant Prince qui arrivait en
courant, Siren entre ses bras. Prince escalada
l'avion au moment où l'hélice pivotait déjà, des
pompiers paraguayens déjà attelés à l'arrière pour
pousser l'appareil hors de la zone du sinistre.

Ils crurent entendre sur le fond sonore des hurlements, des cris de terreur, du crépitement des
flammes et du grondement de la lance à mousse,
plusieurs détonations. L'avion roulait déjà pleins
gaz sur la piste, accélérant rapidement sa vitesse.

— J'avais l'ordre de décollage... puis d'évacuer,
suis couvert ! cria Demarchais.

— Appelez-les quand même par radio, conseilla
Prince. Et pardonnez-moi le coup.

— Rien, mon colonel.

L'avion décolla, et sous les ailes ils purent voir
le car noir, immense cercueil en feu empanaché
de nuages tourbillonnants.

— De justesse ! (Il se pencha.) En tout cas,
félicitations, madame.

— Ne vous fatiguez pas, dit Prince, penché
sur Siren et nettoyant le visage maculé de sang
et de suie. Elle est évanouie.

Demarchais retira son laryngophone. Le dialogue avec la tour avait été bref, l'unique opérateur confirmant le plan de vol d'une voix altérée et distraite, trop occupé sans doute à regarder par ses baies vitrées ce qui se passait sur le terrain.

— Comment va-t-elle ?

— Rien de grave, dit Prince. Mais il faudra qu'elle achète une perruque.

Il s'étonna une seconde de voir, sous eux, le fleuve émeraude qui coulait au milieu de la jungle.

— Je croyais que nous allions vers l'ouest ?

— Au 330, puis nous virerons sur Taraja, en Bolivie.

Ils survolaient de larges barques plates chargées de sacs et de grumes qui descendaient le rio Parana et Demarchais se fit ricanant.

— Sous nous, le paradis du trafic. Menthol, café et drogue. On raconte même que les gardes paraguayens de certains gros pontes nazis du bas

(Il désignait avec insistance le sol.) font la chasse à l'homme au profit des douanes diverses pour passer le temps entre deux rondes.

Siren bougeait, soulevait les paupières.

— J'ai... entendu au sujet de la perruque. C'était comme si tu avais été à des milliers de kilomètres, mais j'ai entendu...

— Je t'en expédierai une de Paris, promit-il. Avec une demi-douzaine de maxis Givenchy ou Rabannes pour remplacer le tailleur. Le Quai a un budget spécial pour ça. Et s'il n'en a pas, il en créera un.

Il souriait, heureux qu'elle s'en soit tirée.

— Je préférerais venir les acheter moi-même à Paris, dit-elle faiblement.

Il perdit son sourire, pensa tout à coup à Alexandra. Il se demandait si elle n'avait pas été imprudente.

— Difficile de venir à Paris, dit-il. Mais je tâcherai d'arranger cela.

Un bref remous secoua l'avion.

— Sous nous, Porto-Mendes, signala Demarchais. C'est par-là que la... disons la légende raconte que Bormann et Mengele franchissent régulièrement le Parana pour se rendre aux grandes réunions « Exécutives ». Ici, c'est de nouveau le *Cercle de Fer*, mais côté Paraguay.

Il jeta un regard à sa montre.

— A midi, nous serons à Taraja. Avec un peu de chance vous pourrez voler demain sur le courrier régulier d'*Air France* Lima/Paris. (Il cligna de l'œil, désignant la valise.) Pas d'explosifs là-dedans, non ? Ils sont très chatouilleux à ce sujet depuis quelque temps.

— Juste une bombe, le rassura Prince. Et on l'entendra de loin.

Il se pencha pour admirer une surprenante vallée verdoyante qui naissait sans transition au milieu de la jungle. On pouvait voir dans les champs, des tracteurs modernes et une infinité de machines agricoles. L'avion prenait de l'altitude, et la voix de Demarchais leur parvint plus étrange et ironique.

— Vous avez des masques oxy derrière... Servez-vous-en en cas de besoin.

Prince consulta la montre-chrono du tableau de bord. L'ex-« Expédition » devait à présent rouler dans d'autres cars bringuebalants en direction du sud argentin. La grosse Sarah avait dû recommencer à fulminer et Bensala à jouer les gros bras, Kanazi devait se faire du souci pour sa blessure tout autant qu'au sujet des photocopies promises. L'ex-major Drieux songer à son fils devenu tueur à gages et que peut-être il sauverait. Quant à la bonne vieille crédule Mme de Saint-Prades, elle devait sans doute amèrement regretter de s'être fourrée dans pareil guêpier.

— Un voyage profitable, **pas vrai ? dit le** pilote comme s'il devinait.

— Surtout pour nous.

Ils survolaient de très haut d'interminables enfilades de bâtiments du genre ateliers, lorsqu'ils virent des véhicules de toutes sortes faire précipitamment mouvement, paraissant converger vers une aire bétonnée grisâtre hérissée d'espèces de pustules indistinctes. L'une des pustules cracha un premier petit nuage gris, puis d'autres se mirent à vomir également des geysers de fumée.

— Incroyable, non ? dit le pilote, poussant la manette des gaz à fond.

Prince le dévisagea une seconde, ne sachant pas de quoi il fallait être le plus stupéfait, de son calme souriant ou des tirs de D.C.A. au sol. Les petits nuages se multipliaient, encadrant cette fois dangereusement l'avion.

— Ne vous en faites pas, dit Demarchais. On sort assez vite de la zone de la Grande Fazenda.

— Qui nous canarde ?

— Essayez de deviner. Aucun pilote, qu'il soit brésilien ou argentin, n'a jamais pu savoir avec exactitude. Alors, nous évitons le coin simplement. Dans les popotes de Buenos Aires, on se marre quand quelqu'un essuie *leur* feu après s'être égaré accidentellement. Les gars en rentrant demandent si c'est le commando Bormann qui leur a tiré dessus ou la D.C.A. paraguayenne.

— Conclusion ?

— Il n'y a jamais eu de « conclusion ». (Demarchais tourna furtivement la tête vers la valise.) Peut-être l'explication est-elle dans cette bombe que vous transportez, colonel Prince ?

FIN

UNE PETITE MINUTE !

Troublant ?

A votre avis ?

Tout ce que vous venez de lire : affabulation, construction plus ou moins intéressante destinée à vous distraire, invention, vérité ?

Troublés ?

Je ne sais si vous l'êtes. Je vous prie de croire pourtant que... moi, je l'étais, le jour où l'on m'a tiré dessus, trois mille pieds au-dessus du Parana !

Mais, comme dans toute orchestration bien comprise, il y a bien entendu un « arrangement ». Vous souhaitez lire, je pense, un roman d'espionnage et non la page politique du *Monde* ou de *l'Express* ?

Malgré tout, si je vous affirmais que la photo reproduite en première page a été réellement retirée il y a peu de mois d'un coffre très proche d'une certaine salle d'opération, elle-même très proche de..., etc.

Toute ressemblance quelle qu'elle soit, etc.
(Vous ai-je affirmé quelque chose ?)

De toute façon, convaincu ou pas, j'espère que je vous ai distrait, ami lecteur et vous chère lectrice.

Le temps de prendre le prochain avion pour n'importe où, et je vous ramène une autre aventure de la Force M que, j'en suis persuadé, vous saurez également lire entre les lignes.

Amicalement vôtre.

C. R.

DÉJA PARUS DANS LA MÊME COLLECTION :

828. *Echec au froid, Commander.* G.-J. Arnaud
829. *Face d'Ange dans le dédale.* A. St-Moore
830. *« V » comme vacherie !* M.-G. Braun
831. *Gaunce ne marchande pas.* Serge Laforest
832. *Lecomte et l'enfant prodige.* F.-H. Ribes
833. *La nuit de Coplan.* Paul Kenny
834. *Mr Suzuki et les Panthères Noires.*
                                       J.-P. Conty
835. *Et après, vicomte ?* Fred Noro
836. *Puisqu'il faut l'appeler par son nom...*
                                       Marc Avril
837. *Matt contre « Faucous ».* François Chabrey
838. *La nuit des couteaux.* Marc Arno
839. *Le diable au soleil.* Michel Carnal
840. *Fort-canal.* Claude Rank
841. *L'agent spécial et les bérets verts.*
                                       J.-B. Cayeux
842. *Ultime échange.* Pierre Courcel
843. *Compartiment 820.* André Caroff
844. *Yung Ho s'est mise à table.* Pierre Nemours
845. *Gaunce et les calibres.* Serge Laforest
846. *Quitte ou Kern.* Marc Revest
847. *F.X. 18 change de piste.* Paul Kenny
848. *Voir Lecomte, Naples et mourir.* F.-H. Ribes
849. *S'il le faut, vicomte.* Fred Noro
850. *Les chemins de Kaboul.* Marc Arno
851. *Coulez le « Kashii Maru » !* André Caroff
852. *Souviens-toi de Dallas.* Claude Rank
853. *Traquenard pour Gaunce.* Serge Laforest
854. *Le temps des guérilleros.* M.-G. Braun
855. *Coup de vent pour le Commander.*
                                       G.-J. Arnaud
856. *A la santé du général.* Pierre Nemours

857. *Astres et désastres.*   **Marc Avril**
858. *La contre-enquête de Mr Suzuki.* J.-P. Conty
859. *Face d'Ange au paradis perdu.* A. St-Moore
860. *Shalom, Mr Matt.*   François Chabrey
861. *Des sueurs pour Coplan.*   Paul Kenny
862. *On n'arrête pas Calone.*   Alain Page
863. *C.Q.F.D... KB-09.*   F.-H. Ribes
864. *Olé ! Mr Kern...*   Marc Revest
865. *Parasites sur les Andes.*   Dan Dastier
866. *Vacances pour un espion.* Jacques Hoven
867. *L'agent spécial à la question.* J.-B. Cayeux
868. *Train de nuit pour Fortaleza.* Claude Rank
869. *Opération ponctuelle.*   Marc Arno
870. *Aux bons soins du Vicomte.*   Fred Noro
871. *Matt au Mali.*   François Chabrey
872. *Haro sur Mr Suzuki.*   J.-P. Conty
873. *Le judoka et les Sabras.*   Ernie Clerk
874. *Une île pour Face d'Ange.* Adam St-Moore
875. *Coplan fait des ravages.*   Paul Kenny
876. *Lecomte ne chinoise pas.*   F.-H. Ribes
877. *Le commander et la mamma.* G.-J. Arnaud
878. *Kern fait le mur.*   Marc Revest
879. *Calone est au parfum.*   Alain Page
880. *Le vent du désert.*   M.-J. Leygnac
881. *Le remplaçant.*   **Michel Carnal**

A PARAITRE :

Paul Kenny

COPLAN TRAQUE LE RENARD

Imprimerie Artistique de Monaco - Dépôt légal : 2ᵉ trim. 1971